Colette Samson

Amis 4

et compagnie

Livre de l'élève

CLE
INTERNATIONAL

www.cle-inter.com

Les fans du français

1 📖 💬 **Écoute et regarde ! Repère les nouveaux amis de Joséphine ! Ils viennent d'où ?**

Image 1

Joséphine : Vous me reconnaissez ? Je fais une fête pour mon anniversaire ! J'attends mes amis. Qui est-ce que j'ai invité ? Seydou, Emma, Félix et Huong Lan, des nouveaux élèves au collège !

Image 2

Joséphine : J'ai aussi invité les vieux copains. Mais Stan, lui, ne viendra pas : il est parti en Belgique avec sa famille. Son père travaille maintenant à Bruxelles. C'est trop triste... Ah ! Les invités arrivent !

Image 3

Joséphine : Bienvenue ! Entrez tous ! Je vous présente mes nouveaux amis : Emma est suisse. Seydou vient de Dakar, au Sénégal. Félix est québécois et Huong Lan est d'origine vietnamienne.

Image 4

Théo : Hé ! Tu as reçu un colis !
Agathe : Qui est-ce qui te l'a envoyé ?
Joséphine : C'est Stan ! Il a pensé à mon anniversaire ! C'est trop gentil !

Image 5

Léa : Qu'est-ce qu'il y a dans le colis ?
Joséphine : Des chocolats !
Agathe : Des chocolats belges ? Trop cool !
Joséphine : Il y a aussi une carte postale... bizarre. Qu'est-ce que ça représente ?
Max : C'est le tableau d'un peintre surréaliste belge, c'est génial !

Image 6

Léa : Tes nouveaux amis, ton colis... ça pourrait me donner une idée !

2 💬 **Les locutions interrogatives** *qui est-ce qui... ? qui est-ce que (qu')... ? qu'est-ce qui... ? qu'est-ce que (qu')... ?* → **Lis et complète à l'oral ! Puis écoute le CD pour vérifier tes réponses !**

1 ... on pourrait bien faire cette année ? Un livre, une vidéo, du théâtre ? Non, on l'a déjà fait !

2 ... serait nouveau pour nous ? Créer un site Internet sur des pays francophones ? Oui, pourquoi pas ?

3 Mais ... pourrait nous aider ? La mère de Max ? Je crois qu'elle a déjà créé un site !

4 Et ... trouverait des informations ? Stan trouverait des infos sur la Belgique, Emma sur la Suisse et Seydou sur le Sénégal.

5 Voyons, ... nous connaissons encore ? Huong Lan pourrait nous aider pour le Viêtnam et Félix pour le Québec !

6 ... je vais appeler tout de suite pour lui parler de ma lumineuse idée ? Max, bien sûr !

Qui est-ce qui ? / Qu'est-ce qui ?
posent la question sur le sujet

Qui est-ce que (qu') ? / Qu'est-ce que (qu') ?
posent la question sur le COD

3 🗨 **Sur la carte des pays francophones au début ou à la fin du livre, trouve les pays dont parlent Emma, Seydou, Huong Lan et Félix ! Que représente le français pour chacun d'eux : sa langue maternelle ? la langue officielle de son pays ? une des langues officielles ? une langue qui fait partie de sa vie ou de sa culture ?**

Salut ! Oui, c'est moi Seydou ! Je viens du Sénégal, de Dakar. Le français au Sénégal, c'est la langue officielle ou administrative. Elle nous vient de la colonisation du pays par la France au XIXe siècle. Sinon, nous avons au moins six langues nationales, par exemple le *wolof* qui est ma langue maternelle.

Moi, Félix, je suis un Canadien de la province du Québec. Je viens de Montréal, je suis francophone et le français est ma langue maternelle. C'est aussi une des langues officielles du Canada. Le français au Québec ? C'est une vieille histoire qui remonte au XVIe siècle !

Moi, Emma, je suis née à Genève. Ma langue maternelle, c'est le français. C'est une langue parlée par une partie des habitants de la Suisse. Chez nous, les langues officielles sont l'allemand, le français et l'italien.

Bonjour ! Je m'appelle Huong Lan. Mes parents sont arrivés en France en 1975 et c'est là que je suis née. Au Viêtnam, mes grands-parents parlent vietnamien, bien sûr, mais, enfants, ils ont appris le français à l'école : à cette époque, le Viêtnam faisait partie d'une colonie française, l'Indochine... Mes grands-parents continuent toujours à parler un peu le français.

4 🗨📖🗨🗨 **Repère sur la carte des pays francophones...**

1 ... les pays ou régions où le français est *langue nationale ou maternelle*. Fais-en une liste !

2 ... les pays où le français est *langue officielle ou une des langues officielles*. Dans quelles régions du monde est-ce qu'ils se trouvent ? En Amérique du Nord ? En Amérique du Sud ? En Europe ? En Afrique ? Au Proche-Orient ou au Moyen-Orient ? En Asie-Pacifique ?

3 ... les pays où le français est *langue étrangère privilégiée* (à l'école, au collège ou au lycée). Cite quelques-uns d'entre eux !

4 ... les communautés francophones dans un pays de langue étrangère (petit cercle vert). Tu en vois combien ?

5 🗨📖🗨 **Lis et complète à l'oral !**

la ...	un(e) Belge	des chocolats belges
le ...	un(e) Canadien(ne)	un élève canadien
l'Italie	un(e) ...	la langue italienne
le ...	un(e) Québécois(e)	la province québécoise
le Sénégal	un(e) Sénégalais(e)	la capitale ...
la Suisse	un(e) ...	le drapeau suisse
le Viêtnam	un(e) Vietnamien(ne)	une ville ...

> **Attention !** Les noms de nationalité s'écrivent avec une majuscule, mais pas les adjectifs !
> *C'est un Italien. Il est italien. Il parle italien.*

6 🗨 **Réponds !**

1 Quelle est ta *langue maternelle* (ou la langue que tu utilises le plus souvent) ?

2 Est-ce qu'il y a une (plusieurs) *langue(s) officielle(s)* dans ton pays ? Si oui, laquelle (lesquelles) ?

3 Est-ce qu'il y a une (plusieurs) *langue(s) nationale(s)* dans ton pays ? Si oui, lesquelles ?

4 Est-ce qu'il y a une *langue étrangère privilégiée* (à l'école, au collège ou au lycée) dans ton pays ? Si oui, est-ce que c'est le français ?

Les fans du français

PROJET : CRÉER UN SITE INTERNET

Oui ! Avec tes professeurs et tes amis, il est facile de créer un site d'information sur la France, le français et les pays francophones ! C'est possible de présenter des textes, des documents, des photos, des musiques et de faire partager vos passions avec des internautes du monde entier ! Il n'est pas nécessaire d'être des spécialistes de l'informatique : votre fournisseur d'accès à Internet (FAI) peut vous aider à créer gratuitement votre site (votre « page perso »). Mais vous pouvez utiliser un autre hébergeur (ou *provider*) ou même la plateforme d'un réseau communautaire.

■ Choisissez d'abord le titre de votre site !

Avant de commencer, il est important de choisir le titre de votre site, par exemple *Le super site des amis du français* ou *La France, le français et les pays francophones* ou bien *Des idées pour le français au collège* ou encore, comme pour le site de Max, Léa, Théo, Agathe et de leurs amis page 5, *Le site des fans du français*.

■ Écrivez ensuite une présentation ou un résumé du site !

Après avoir choisi le titre, il est utile d'écrire un petit mot de présentation ou un résumé des contenus du site. Regardez ce qu'ont écrit les *Amis* au début de la page web page 5 !

■ Puis faites le plan ou le menu !

Il est très pratique de créer un site avec plusieurs pages, c'est-à-dire avec plusieurs thèmes ou sujets : chaque sujet correspond à une page. Regardez ! Sur la page web du site *www.amisetcompagnie. fr*, il y a des onglets (ou fenêtres de dialogue) pour la page d'*Accueil* et quatre autres pages : *Carnets de voyages* pour raconter des visites de pays ou de villes, *Dossiers* pour présenter certains sujets, *Infos* pour donner des informations et *Livres* pour donner des idées de lecture. Et vous, quels sujets est-ce que vous voulez traiter ? De combien de pages est-ce que vous avez besoin ?

■ Préparez les contenus !

Après avoir écrit votre page d'accueil, préparez le contenu des autres pages. Servez-vous des modèles de pages (cadres, couleurs, graphismes) proposés par votre FAI. Ce n'est pas difficile d'ajouter des photos, des images ou des liens vers d'autres sites.

■ Choisissez un nom de domaine !

Le nom de domaine, c'est l'adresse qui permet d'arriver sur votre site, par exemple *www.amisetcompagnie.fr*. C'est essentiel de choisir un nom facile à identifier !

■ Et enfin, mettez votre site en ligne !

Avant de publier votre site sur Internet, enregistrez-le dans un annuaire et testez-le. **Bonne chance !**

SITE EN CONSTRUCTION

1 😃📚😃✏ **Les tournures impersonnelles →** Repère dans le texte les éléments soulignés (qui commencent par *il (n')est...* ou *c'est, ce n'est...*) et fais-en une liste ! Ils sont suivis de l'infinitif ? Si oui, l'infinitif est introduit par quelle préposition ?

2 😃💬 **Les prépositions *avant de* et *après* + infinitif →** Regarde les exemples et transforme les phrases à l'oral !

Exemples : Vous avez choisi le titre. Mais après, vous écrivez une présentation. → **Après avoir** choisi le titre, vous écrivez une présentation. – Publiez votre site. Mais avant, enregistrez-le ! → **Avant de** publier votre site, enregistrez-le !

1 Préparez les contenus. Mais avant, il faut faire un plan du site. →

2 Vous avez écrit les contenus. Mais après, vous choisissez un nom de domaine. →

3 Vous avez testé votre site. Mais après, mettez-le en ligne ! →

4 Lancez votre site. Mais avant, écrivez à tous vos amis ! →

> *avant* est suivi de la préposition *de* + infinitif
> *après* est suivi de l'infinitif passé (sans préposition) !

amisetcompagnie.fr

Le site des fans du français !

Bienvenue sur notre site ! Vous y trouverez des textes, des documents et des photos sur le français, la France et les pays francophones. Nous espérons qu'il vous plaira et qu'il vous donnera envie de revenir. Merci et à bientôt !

| Accueil | Dossiers | Carnets de voyage | Infos | Livres |

LA BELGIQUE

Superficie : 30 528 km²

Capitale : Bruxelles (siège de la plupart des institutions de l'Union européenne)

Villes principales : agglomération de Bruxelles, Anvers, Gand, Charleroi, Liège, Bruges, Namur

Population : 11 millions d'habitants

Régime politique : monarchie parlementaire fédérale, avec trois régions (les Flandres, la Wallonie et Bruxelles-Capitale) et trois communautés (flamande, française et germanophone)

Langues officielles : néerlandais, français et allemand

Belges célèbres : Victor Horta, René Magritte, Hergé, Georges Simenon, Jacques Brel, Eddy Merckx

Magritte et le surréalisme

La trahison des images (1929)

Le surréalisme est un mouvement de l'art européen du XXe siècle qui utilise le rêve et l'imaginaire dans ses réalisations. En Belgique, ce mouvement est célèbre grâce à René Magritte, peintre et dessinateur belge (1898-1967). Magritte peint des objets de la réalité quotidienne : une pipe, un château ou une maison. Il les peint de manière très réaliste. On pourrait donc imaginer que ses tableaux montrent la réalité.

une pipe, on peut lire *Ceci n'est pas une pipe*. C'est vraiment absurde, mais Magritte a raison : on ne peut pas fumer cette pipe, c'est seulement une image !

Et pourtant, sur le tableau qui représente

Magritte a enlevé le *Château des Pyrénées* de son décor de montagnes et il le fait planer au-dessus de la mer... comme un « château ambulant » !

Dans le tableau *L'empire des lumières*, la lampe du réverbère et les fenêtres de la maison sont allumées : il fait nuit, les arbres et l'eau devant la maison sont très sombres. Mais le ciel est clair comme en plein jour ! Le contraste entre le jour et la nuit donne une grande impression de mystère...

L'empire des lumières (1954)

Le château des Pyrénées (1959)

Écoute, lis la page web et réponds !

1 Quelle langue, selon toi, est parlée à 95 % en Wallonie et à 65 % dans la région Bruxelles-Capitale ?

2 Quelle langue est parlée par la communauté flamande et quelle langue est parlée par la communauté germanophone ?

3 Trouve dans une encyclopédie ou sur Internet dans quels domaines les Belges cités plus haut sont devenus célèbres !

4 À ton avis, quels sont les adjectifs qui pourraient être associés au mot « surréalisme » ?
bizarre – absurde – réel – mystérieux – exact – étrange – normal – impossible – logique – imaginaire – fantastique – amusant

5 Des trois tableaux, quel est celui que tu trouves le plus « surréaliste » ? Pourquoi ?

6 L'œuvre de Magritte a influencé l'art, la publicité, le dessin animé, le cinéma d'aujourd'hui ! Cite ou montre des exemples !

Madeleine de Jacques Brel

Jacques Brel (1929-1978), auteur-compositeur-interprète de chansons, est né en Belgique dans la banlieue de Bruxelles. À partir de 1958, le public reconnaît la poésie et la force de ses textes, mais aussi la sincérité de son interprétation et c'est le succès. Jacques Brel part en tournée dans le monde entier. En 1967, il devient acteur et réalisateur de films. Malade, il abandonne tout en 1974 et part vivre aux îles Marquises, un archipel de la Polynésie française.

1 Ce soir j'attends Madeleine
J'ai apporté du lilas[1]
J'en apporte toutes les semaines
Madeleine elle aime bien ça
Ce soir j'attends Madeleine
On prendra le tram[2] trente-trois
Pour manger des frites chez Eugène
Madeleine elle aime tant ça
Madeleine c'est mon Noël
C'est mon Amérique à moi
Même qu'elle est trop bien pour moi
Comme dit son cousin Joël
Ce soir j'attends Madeleine
On ira au cinéma
Je lui dirai des « je t'aime »
Madeleine elle aime tant ça

Elle est tellement jolie
Elle est tellement tout ça
Elle est toute ma vie
Madeleine que j'attends là

2 Ce soir j'attends Madeleine
Mais il pleut sur mes lilas
Il pleut comme toutes les semaines
Et Madeleine n'arrive pas
Ce soir j'attends Madeleine
C'est trop tard pour le tram trente-trois
Trop tard pour les frites d'Eugène
Et Madeleine n'arrive pas
Madeleine c'est mon horizon[3]
C'est mon Amérique à moi
Même qu'elle est trop bien pour moi
Comme dit son cousin Gaston
Mais ce soir j'attends Madeleine
Il me reste le cinéma
Je lui dirai des « je t'aime »
Madeleine elle aime tant ça

Elle est tellement jolie
Elle est tellement tout ça
Elle est toute ma vie
Madeleine qui n'arrive pas

---

1. le lilas : *fleur mauve (ou blanche), très parfumée*
2. le tram : *le tramway*
3. l'horizon (*m.*) : *là où le ciel et la terre semblent se toucher*

3 Ce soir j'attendais Madeleine
Mais j'ai jeté mes lilas
Je les ai jetés comme toutes les semaines
Madeleine ne viendra pas
Ce soir j'attendais Madeleine
C'est fichu⁴ pour le cinéma
Je reste avec mes « je t'aime »
Madeleine ne viendra pas
Madeleine c'est mon espoir
C'est mon Amérique à moi
Sûr qu'elle est trop bien pour moi
Comme dit son cousin Gaspard
Ce soir j'attendais Madeleine
Tiens le dernier tram s'en va
On doit fermer chez Eugène
Madeleine ne viendra pas

Elle est tellement jolie
Elle est tellement tout ça
Elle est toute ma vie
Madeleine qui ne viendra pas

4 Demain j'attendrai Madeleine
Je rapporterai du lilas
J'en rapporterai toute la semaine
Madeleine elle aimera ça
Demain j'attendrai Madeleine
On prendra le tram trente-trois
Pour manger des frites chez Eugène
Madeleine elle aimera ça
Madeleine c'est mon espoir
C'est mon Amérique à moi
Tant pis⁵ si elle est trop bien pour moi
Comme dit son cousin Gaspard
Demain j'attendrai Madeleine
On ira au cinéma
Je lui dirai des « je t'aime »
Et Madeleine elle aimera ça

© Editions Musicales Caravelle

4. fichu : *raté*
5. tant pis : *c'est dommage, mais ce nest pas grave*

🎧 📖 💬 Écoute et lis ! Puis réponds

1 En Belgique francophone, on dit *septante* pour soixante-dix et *nonante* pour quatre-vingt-dix. Exemples : *septante-six* (soixante-seize) ; *nonante et un* (quatre-vingt-onze). Lis les dates de Jacques Brel (1929-1978) et celles de Magritte (1898-1967) comme si tu étais un(e) Belge francophone !

2 Jacques Brel a exercé quelles professions ? Il est devenu célèbre à quel âge ? Pourquoi ?

3 Comment est-ce que tu imagines l'homme qui attend *Madeleine* ? Il est amoureux, bien sûr. Mais est-ce qu'il est aussi… têtu ? sincère ? idiot ? fidèle ? jaloux ? agressif ? joyeux ? désespéré ? Décris-le aussi physiquement ! Il est petit ? grand ? fort ? maigre ?

4 **Vrai ou faux ?** L'homme qui attend *Madeleine* pense : « Elle aime le lilas. » – « Elle aime manger des frites. » – « Elle aime aller à la fête foraine. » – « Elle aime prendre le tram. » – « Elle aimerait aller en Amérique. » – « Elle aime aller au cinéma. »

5 À ton avis, est-ce que *Madeleine* viendra un jour au rendez-vous ? Oui ? Non ? Pourquoi ?

6 La chanson s'appelle *Madeleine*… Quel autre titre est-ce que tu pourrais donner à cette chanson ? Explique ton choix !

Communication

Tu sais maintenant…

■ **t'informer sur un objet ou sur une personne :**
Qu'est-ce qu'il y a dans le colis ? Qui est-ce que j'ai invité ?

■ **te présenter (nationalité et langue) :**
Je suis canadien. Je suis francophone.

■ **préciser une information :**
Il y a plusieurs pages, c'est-à-dire plusieurs thèmes ou sujets.

■ **exprimer la possibilité ou l'impossibilité, l'obligation, l'importance, l'utilité, etc.**
Il est (c'est) possible, impossible, nécessaire, essentiel, important, utile, pratique de…

Vocabulaire

Noms de pays et de nationalités

la Belgique	la France	le Québec	la Suisse
un(e) Belge	un(e) Français(e)	un(e) Québécois(e)	un(e) Suisse
le Canada	l'Italie	le Sénégal	le Viêtnam
un(e) Canadien(ne)	un(e) Italien(ne)	un(e) Sénégalais(e)	un(e) Vietnamien(ne)

Langues

l'allemand (m.)	l'italien (m.)	la langue nationale	le néerlandais
le français	la langue maternelle	la langue officielle	

Informatique et Internet

le fournisseur d'accès	l'internaute (m. ou f.)	l'onglet (m.)	le réseau
l'hébergeur (m.)	le lien	la page	le site

Divers

la capitale	la force	le mystère	la réalité
le colis	l'habitant (m.)	le peintre	la sincérité
la colonisation	l'imaginaire (m.)	la pipe	le succès
le fan	l'impression (f.)	la poésie	le surréalisme

Verbes

ajouter	faire partager	imaginer	se servir de
correspondre	faire partie de	peindre	tester
créer	fumer	publier	traiter
enregistrer	identifier	représenter	utiliser

Adjectifs, adverbes et locutions

absurde	facile ≠ difficile	lumineux / lumineuse	seulement
allumé(e)	francophone	nécessaire	surréaliste
c'est-à-dire	gratuitement	possible ≠ impossible	tant pis
essentiel(le)	important(e)	réaliste	utile ≠ inutile

Grammaire

Les locutions interrogatives

Le pronom interrogatif **qui ?** *pose la question sur un être animé, un humain.*
Le pronom interrogatif **que ? (quoi ?)** *pose la question sur un être inanimé, une chose.*
Qui est-ce qui ? / Qu'est-ce qui ? *posent la question sur le sujet.*
Qui est-ce que (qu') ? / Qu'est-ce que (qu') ? *posent la question sur le COD.*
Qui est-ce qui a envoyé un colis ? Qui est-ce que j'ai invité ?

Les tournures impersonnelles

Il est / C'est possible de… , impossible de… , facile de… , difficile de… , nécessaire de… ,
important de… , pratique de… , essentiel de… , utile de… , inutile de…, etc.
Ces tournures peuvent être suivies de l'infinitif, introduit par la préposition **de**.
(Voir aussi p. 43.)
Il est facile **de** créer un site.

Les prépositions *avant de* et *après* + infinitif

Avant *est suivi de la préposition* **de** + *infinitif.*
Après *est suivi de l'infinitif passé.*
Avant de commencer, choisissez le titre de votre site !
Après avoir écrit la page d'accueil, préparez le contenu des autres pages !

Noms des pays et des habitants – Adjectifs de nationalité

Félix vient du **C**anada.
C'est un **C**anadien. *(article + nom avec majuscule)* Il est **c**anadien. *(être + adjectif)*
Attention ! Il parle **a**nglais et **f**rançais. *(pas de majuscule)*

Stratégies

Pour mieux comprendre et apprendre…

Repère les terminaisons des mots ou les « suffixes » !
■ Les noms en *-ité* (*sincérité, réalité*), en *-tion* (*présentation, imagination*), en *-isme* (*surréalisme*). Rapproche-les des adjectifs ou des verbes que tu connais : *sincère, réaliser, présenter, imaginer, surréaliste*, etc.

■ Les adverbes en *-ment* (*seulement, gratuitement, facilement*, etc.). Retrouve les adjectifs qui ont servi à les construire : *seul, gratuit, facile*, etc.

■ Les adjectifs de nationalité en *-ain* (*africain, marocain*), en *-ais* (*sénégalais, anglais, français*), en *-and* (*flamand, allemand*), en *-ien* (*canadien, italien*), en *-ois* (*québécois, chinois*), etc.
Regroupe-les par terminaisons pour mieux les apprendre !

Culture et civilisation

La Belgique

Bruxelles : Grand-Place (Tapis de fleurs)

Anvers : La fontaine Brabo, Grote Markt

Gand : Le pont Saint-Michel

Bruges : Maisons au bord du Dijver

**Réalise un dépliant touristique
sur la Belgique : cite ces villes et ces
monuments et ajoute des informations !**

L'excursion

1 Écoute et lis ! Explique où et pourquoi les amis sont partis en excursion ! Puis repère tous les verbes au plus-que-parfait dans le texte et fais-en une liste !

Image 1

Théo : On a failli perdre Agathe sur un glacier[1] des Alpes suisses !

Léa : Je vous explique : Emma avait fait un exposé sur le chocolat. Elle nous l'avait montré, on l'avait trouvé vraiment très bien et ça nous avait donné envie de visiter la Suisse !

Image 2

Max : Elle nous avait demandé : « Qu'est-ce que vous diriez d'aller en Suisse avec moi ? » Nous lui avions répondu : « Ça nous ferait très plaisir ! »

Théo : Alors, elle nous a tous invités pour un week-end.

Image 3

Léa : Elle avait organisé une superbe excursion sur le glacier des *Diablerets*. Elle nous en avait raconté la légende. Elle nous avait expliqué que le diable et ses enfants jouaient au jeu de quilles[2] sur le glacier.

Image 4

Max : Quand ils rataient leur coup, les « boules » de pierre tombaient dans les vallées. Il y avait d'ailleurs eu un éboulement[3] terrible au siècle dernier.

Image 5

Théo : Emma avait réservé des chambres dans un chalet[4] de montagne au pied du glacier. Personne n'a dormi : on a entendu le diable jouer aux quilles toute la nuit !

Image 6

Agathe : Et c'est le lendemain que vous m'avez abandonnée sur le glacier…

2 Le plus-que-parfait → Regarde l'exemple et transforme les verbes à l'oral ! Puis écoute le CD pour vérifier tes réponses !

Agathe raconte son aventure !

Exemple : Nous (monter) aux Diablerets le samedi soir. → Nous **étions montés** aux *Diablerets* le samedi soir.

1 Nous (dormir) dans un chalet de montagne. →

2 Enfin… on (passer) une nuit blanche à entendre le diable jouer aux quilles sur le glacier ! →

3 Ensuite, nous (partir) très tôt le matin pour admirer le lever du soleil. →

4 Nous (arriver) à une cascade quand tout à coup, il a commencé à pleuvoir. →

5 Heureusement, j' (prendre) un parapluie ! →

6 Mais, le temps de le trouver dans mon sac à dos… et tout le monde (disparaître) ! →

> **Le plus-que-parfait**
> *avoir* ou *être* à l'imparfait + participe passé
> Rappel : *être* est utilisé avec les verbes pronominaux et avec *monter, partir, arriver,* etc.

1. le glacier : *champ de glace en montagne* – 2. le jeu de quilles : *jeu de bowling* – 3. l'éboulement (m.) : *chute de pierres* – 4. le chalet : *maison de bois dans les montagnes d'Europe*

3 📖✏️ 🗣️ **L'imparfait des verbes en –ger, –cer, –ier et –yer + voir → Réécris le texte sur une feuille en mettant les verbes entre parenthèses à l'imparfait !** Attention à l'orthographe des verbes : regarde les tableaux page 17 !

Théo raconte la fin de l'histoire...

1 Nous avons retrouvé Agathe au chalet : quel soulagement ! Nous (commencer) à désespérer !

2 Agathe nous a dit : « Vous (essayer) de me perdre, non ? »

3 Mais on lui a répondu : « Non pas du tout, nous t'(encourager) à marcher plus vite à cause de la pluie ! »

4 On a ajouté : « Nous te cherchions, nous ne (voir) pas à dix mètres, alors nous (crier) de toutes nos forces. »

4 🗣️ **Commence par décrire l'image ! Puis écoute et repère ! Vrai ou faux ? Tu as deux écoutes !**

un sac à doc

un sac de couchage

une tente

un camping-car

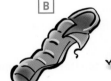

une caravane

un mobile-home

5 🙂📖 🗣️ **Le plus-que-parfait → Choisis le bon participe passé !**

1 Nos premières vacances entre copains, nous les avions **passé / passés / passées** sur un terrain de camping. – **2** Nous avions **acheté / achetés / achetées** un vieux camping-car et une petite tente. – **3** Nous étions ainsi **resté / restés / restées** trois semaines sur le terrain, au bord d'un ruisseau. – **4** Vous voulez voir les photos que j'avais **pris / prises** ?

> **Le plus-que-parfait**
> Rappel : Avec *être*, le participe passé s'accorde avec le sujet ; avec *avoir*, le participe passé s'accorde avec le COD quand il est placé **avant** le verbe.

6 🙂📖 🗣️ **Imparfait, passé composé ou plus-que-parfait ? Complète à l'oral ! Puis écoute le CD pour vérifier tes réponses !**

1 Je (marcher) **...** depuis trois heures avec ce sac à dos qui (peser) **...** des tonnes.

2 Et puis, je (arriver) **...** au bord d'un superbe lac et j' (finir) **...** par m'asseoir.

3 Déjà la nuit (tomber) **...** et j' (décider) **...** de camper au bord du lac.

4 Mais tout à coup, les lourds nuages noirs qui (s'amasser) **...** toute la journée (éclater) **...** .

5 Des grosses gouttes de pluie (commencer) **...** à tomber : en quelques minutes moi, mon sac à dos, mon sac de couchage et ma tente, nous (être) **...** complètement trempés !

6 Alors, je me (dire) **...** que, bêtement, j' (oublier) **...** de regarder la météo avant de partir !

L'excursion

PROJET : ACCUEILLIR QUELQU'UN DANS SA VILLE, DANS SA RÉGION

Tu veux accueillir un(e) correspondant(e) – réel(le) ou imaginaire – chez toi, dans ta ville ou dans ta région !

1 Lis les questions et écris les réponses sur une feuille pour réaliser ta fiche-projet !

■ La date ou la période de l'accueil

1 Tu proposes quelle date ou quelle période de l'année ? ... Pourquoi ? ...

2 Combien de temps tu veux / tu peux accueillir ton (ta) correspondant(e) ? ...

3 Écris ta lettre ou ton courriel d'invitation ! Exemple : *Cher (Chère) ...*
Je t'invite à venir ... . Tu pourras ... . Surtout n'oublie pas ... . Ça me ferait très plaisir de ... . À bientôt ! Bien cordialement, ...

■ L'hébergement

1 Ton (ta) correspondant(e) peut dormir chez toi ? ... Où ? Dans ta chambre ? ... Chez des voisins ? ... À l'hôtel ? ... Tu as une autre solution ? ...

2 Ton (ta) correspondant(e) dort à l'hôtel. Tu connais déjà l'adresse de l'hôtel ? Si oui, indique-la : ... Si non, trouve-la sur Internet ou dans une agence de voyage !

3 Écris la lettre ou le courriel de réservation pour l'hôtel ! Exemple : *Madame, Monsieur, Je souhaiterais réserver ... pour ... nuits. Merci de me dire si ... et de m'indiquer ... . Dans l'attente de votre réponse, je vous prie d'agréer, Madame, Monsieur, mes cordiales salutations.*

■ La visite de la ville

1 Fais la liste de tout ce qu'il y a à voir dans ta ville (ou dans la ville de ton choix) ! ...

2 Vérifie, sur Internet par exemple, quels jours et à quelle heure les monuments et les musées sont ouverts ! ...

3 Est-ce que tu veux faire d'autres sorties en ville avec ton (ta) correspondant(e) ? Lesquelles ? ...

4 Renseigne-toi sur le prix des entrées (monument, musée, parc, théâtre, concert, cinéma, fête foraine, etc.) et écris-les ! ...

■ L'excursion, la randonnée

Toi et ta famille, vous voulez emmener ton (ta) correspondant(e) faire une excursion ou une randonnée dans ta région.

1 Choisis le lieu de l'excursion ou de la randonnée ! ...

2 Choisis le moyen de transport pour y aller : en train – en bus – en voiture – en taxi – en camping-car – en caravane – à vélo – à pied – ...

3 Est-ce que vous allez marcher ? ... explorer ou visiter quelque chose ? ... nager ? ... faire des photos ? ... observer des animaux ? ... camper ? ...

4 Qu'est-ce que vous allez emporter ? des sacs à dos ? ... un pique-nique ? ... une tente ? ... des sacs de couchage ? ... autre chose ? ...

5 Vous allez dormir où ? dans un camping ? ... sous une tente ? ... dans un camping-car ou une caravane ? ... dans une auberge de jeunesse ? ... dans un chalet ? ... dans un gîte ? ... à la belle étoile ? ...
Tu as une autre idée ? ...

2 Compare maintenant tes réponses avec celles de ton voisin ou de ta voisine et celles de la classe !

3 Écoute et chante la chanson !

Qu'est-ce que tu dirais, qu'est-ce tu dirais de venir ?
Venir ici dans mon pays ?
T'accueillir, ça me ferait plaisir,
Et tu rencontrerais mes amis !

Moi ça me dirait, moi ça me dirait de partir !
Partir là-bas dans ton pays,
Tout découvrir, ça me ferait plaisir,
Et je m'en souviendrais toute la vie !

L'excursion

1 🎧 📖 💬 **Écoute et lis l'exposé d'Emma ! Puis réponds aux questions !**

Petite histoire du chocolat suisse

J'adore le chocolat belge mais moi, Emma, je suis suisse et j'ai un faible pour le chocolat… de mon pays ! Et toi, tu aimes le chocolat ? le chocolat au lait ? le chocolat fondant ? Alors, tu vas adorer ma petite histoire du chocolat suisse !

Au XVIᵉ siècle, les conquistadores espagnols <u>avaient rapporté</u> du Mexique la boisson des Aztèques, le *xocolatl*. Puis, après être entré en Espagne, le chocolat <u>était arrivé</u> en France et en Italie aux XVIIᵉ et XVIIIᵉ siècles et enfin en Suisse au XIXᵉ siècle. L'aventure du chocolat suisse **pouvait** commencer !

En 1819, François-Louis Cailler **ouvrait** près de Lausanne la première fabrique de chocolat. En 1875, son gendre Daniel Peter **ajoutait** à la pâte de cacao du lait en poudre *Nestlé* : **c'était** la poudre de lait qu'un pharmacien suisse, Henri Nestlé, <u>avait inventée</u> dix ans plus tôt. Daniel Peter **obtenait** ainsi le premier *chocolat au lait* !

En 1879 Rodolphe Lindt, fabricant de chocolat à Zurich, <u>avait eu</u> l'idée d'ajouter du beurre de cacao à la pâte de chocolat pour obtenir, lui, le *chocolat fondant* ! Pendant ce temps, Philippe Suchard, confiseur à Neufchâtel, <u>était devenu</u> célèbre grâce à ses tablettes de chocolat.

En 1908, Jean Tobler, chocolatier à Berne, **inventait** le *Toblerone*, une barre de chocolat avec des amandes et du miel. Il s'<u>était inspiré</u> de la forme pyramidale du mont Cervin, la montagne la plus connue de Suisse. En 1982, le *Toblerone Jumbo* (4,5 kilos), **devenait** le plus « grand » chocolat du monde…

Cailler, Nestlé, Suchard, Lindt, Tobler… est-ce que tu **connaissais** ces noms ? Et est-ce que tu **savais** que les Suisses sont les champions du monde de consommation de chocolat avec 12 kilos par an et par habitant ? Moi, ça ne m'étonne pas du tout !

Le mont Cervin

LA SUISSE

Superficie : 41 285 km²
Capitale : Berne
Villes principales : Zurich, Genève, Bâle, Lausanne, Berne
Population : 8 millions d'habitants
Régime politique : confédération (26 cantons)
Langues officielles : allemand, français et italien
Langues nationales : allemand, français, italien, romanche
Suisses célèbres : Guillaume Tell, Jean-Jacques Rousseau, Johann Heinrich Pestalozzi, Henri Dunant, Charles-Ferdinand Ramuz, Le Corbusier, Alberto Giacometti, Ella Maillart, Stephan Eicher, Roger Federer

1 Trouve quels sont les quatre pays voisins de la Suisse !

2 Associe chaque « Suisse célèbre » à sa profession : architecte – champion de tennis – chanteur – écrivain – exploratrice – pédagogue – peintre et sculpteur – philanthrope et humaniste – philosophe – tireur d'élite

3 Quand et comment a commencé l'aventure du chocolat suisse ?

4 Quelle est la recette du *chocolat au lait* ? Quelle est celle du *chocolat fondant* ?

5 Une consommation de 12 kilos par an, cela fait combien de tablettes de chocolat par semaine ?

6 En Suisse romande – comme en Belgique francophone – on dit *septante* pour soixante-dix et *nonante* pour quatre-vingt-dix. On peut dire aussi *huitante* pour quatre-vingt(s). Lis ces dates, comme si tu étais un(e) Suisse romand(e) ! 1875 – 1879 – 1982 – 1990

2 📖 💬 **Les verbes en gras dans le texte sont à quel temps ? Transforme-les au présent ! Les verbes soulignés dans le texte sont à quel temps ? Transforme-les au passé composé !**

L'excursion

Derborence **de Charles-Ferdinand Ramuz**

Charles-Ferdinand Ramuz (1878-1947) est un écrivain suisse, né et mort à Lausanne, dans le canton de Vaud. Ses œuvres sont inspirées de la vie des habitants de sa région. C'est aussi l'auteur de *L'Histoire du soldat*, spectacle mis en musique par Igor Stravinski, et un romancier suisse de langue française très célèbre.

Il y a bien longtemps en Suisse, les hommes des villages montaient dans les alpages[1] avec leurs vaches et leurs chèvres pour y passer l'été. Ramuz raconte l'histoire d'Antoine parti sur le pâturage de Derborence au pied du glacier des Diablerets. Il est monté avec Séraphin, son oncle.

Une nuit, la montagne leur « tombe » dessus et elle ensevelit Antoine, son oncle, les autres hommes montés avec eux et tout le bétail. Les semaines passent et personne ne les attend plus au village. Pourtant un soir, Thérèse, la femme d'Antoine, croit reconnaître une voix qui l'appelle, elle croit voir son mari. Ce n'est pas un fantôme, c'est bien lui, toujours vivant après sept semaines passées sous les blocs[2] de pierre ! Antoine, rentré au village, explique comment il a survécu.

– Tout à coup, le toit du chalet où nous dormions s'est effondré. La montagne nous est tombée dessus ; je suis resté par terre sans bouger, parce que je ne savais pas si je pouvais bouger. Je me demandais si j'avais toujours mes bras et mes jambes. Et puis, j'ai entendu mon oncle. Il m'a dit : « Où es-tu ? » J'ai dit : « Ici. » Et puis c'est tout. Alors j'ai commencé à remuer un peu les doigts de ma main droite, et puis
5   la main, et puis le bras. J'ai pensé : « J'en ai au moins un, ça va bien ; maintenant allons voir l'autre » ; et avec mon bras droit j'ai été rendre visite au gauche… Seulement, il y avait encore mes deux jambes, et je me demandais pendant ce temps : « Est-ce qu'on m'a appelé ? » Mais on n'appelait plus.
J'ai vu que j'avais un genou à moi, ça en faisant un, et un autre genou à moi, ça en faisait deux. Et tous les deux en bon état. Finalement, je me suis assis et j'ai pu voir qu'il ne me manquait rien, c'est-à-dire
10   que j'avais deux bras, deux jambes et un corps, sans compter la tête ; seulement quand j'ai levé le bras, j'ai senti qu'il y avait une espèce de plafond juste au-dessus de ma tête ; c'est la montagne qui était tombée, c'était un gros morceau de montagne. Et moi, j'étais pris dessous. Mais j'ai vu que l'air ne me manquerait pas, à cause des vides qu'il y avait partout entre les pierres qui étaient montées les unes sur les autres. J'ai vu aussi que je pourrais manger : on avait déjà fait deux fromages et on avait monté du pain pour
15   six semaines. Les fromages et le pain étaient là, tout près, sur une planche. (…)

---
1. l'alpage (*m.*) : *prairie (ou pâturage) de haute montagne*
2. le bloc : *gros morceau*

3. la provision : *réserve*
4. dégager la faille : *enlever les pierres de cette « grotte »*

J'ai vu aussi que je pourrais boire : l'eau du glacier coulait entre les pierres. J'étais sauvé ! J'avais tout ce qu'il fallait pour durer en vie, avec de quoi manger, de quoi boire, de quoi respirer, de quoi dormir. Je n'avais plus qu'à utiliser le temps et j'en avais une bonne provision[3] devant moi ! J'ai commencé à suivre à plat ventre un couloir étroit entre les pierres et puis plus rien, c'était barré. Je passais dans un autre ;
20 je faisais des marques pour savoir par où revenir. J'essayais de monter entre les blocs de pierre, mais souvent je devais redescendre ; j'étais découragé. Pendant des jours et des jours j'ai essayé de dégager la faille[4], pendant sept semaines ! Mais… combien est-ce qu'on était ?
– Où ça ?
– Là-haut.
25 Il y a eu un silence, puis quelqu'un a dit :
– Voyons, peut-être une vingtaine…
– Dix-huit, a dit quelqu'un.
Alors Antoine a dit :
– Et il y en a combien qui sont revenus ?
30 On a entendu les cris des oiseaux dans les arbres.
On a dit enfin :
– Eh bien, il y a toi.

D'après *Derborence*, Charles-Ferdinand Ramuz, 1936

 **Écoute et lis ! Puis réponds !**

1 De quoi ou de qui parlent les romans de Charles-Ferdinand Ramuz ?

2 L'histoire se passe au pied du glacier des *Diablerets*. Est-ce que tu te souviens de sa légende ? Raconte-la !

3 Que veut dire Antoine quand il dit : « La montagne nous est tombée dessus » ?

4 Est-ce qu'Antoine a été blessé ?

5 Comment Antoine comprend que son oncle est mort ?

6 Combien de temps est-ce qu'Antoine est resté sous les blocs de pierres ?

7 Comment est-ce qu'il a pu manger et boire pendant tout ce temps ?

8 Est-ce qu'il est le seul survivant du drame ?

Communication

Tu sais maintenant...

■ **proposer à quelqu'un de faire quelque chose :**
Qu'est-ce que vous diriez d'aller en Suisse avec moi ?
Qu'est-ce que tu dirais te venir ?

■ **exprimer son désir de faire quelque chose :**
Ça nous ferait très plaisir !

■ **exprimer le fait d'apprécier quelque chose :**
J'ai un faible pour le chocolat.

■ **exprimer son soulagement :**
Quel soulagement !

■ **exprimer le fait de ne pas être surpris :**
Moi, ça ne m'étonne pas du tout !

Vocabulaire

Tourisme et camping

l'auberge de jeunesse (f.)	la douche	le pique-nique	la tente
le camping	l'excursion (f.)	la randonnée	le terrain (de camping)
le camping-car	le glacier	la réservation	la vallée
la caravane	l'hôtel (m.)	le sac de couchage	le village
le chalet	le mobile-home	les sanitaires (m. pl.)	

Chocolat et sucreries

l'amande (f.)	le chocolatier	le fabricant	le miel
la barre (de chocolat)	le confiseur	la fabrique	la pâte (de cacao)
le cacao	la consommation	le lait en poudre	la tablette de chocolat

Divers

l'air (m.)	le diable	le plafond	le toit
la chèvre	le doigt	la planche	le soulagement
le (la) correspondant(e)	le genou (pl. les genoux)	le survivant	le vide

Verbes

accueillir	éclater	étonner	obtenir
s'amasser	s'effondrer	faillir	remuer
s'asseoir	emporter	indiquer	rendre visite à
avoir un faible pour	encourager	s'inspirer de	respirer
camper	ensevelir	inventer	survivre

Adjectifs et adverbe

barré(e)	découragé(e)	pyramidal(e)	trempé(e)
bêtement	étroit(e)	superbe	vivant(e)
complet / complète	fondant(e)		

Locutions

(dormir) à la belle étoile	par terre	(passer) une nuit blanche	à plat ventre

Grammaire

L'imparfait des verbes en –cer (avancer, commencer, etc.) et en –ger (bouger, manger, etc.)

Présent	Imparfait
je commence	je commen**ç**ais
nous commen**ç**ons	nous commen**ci**ons
vous commencez	vous commen**ci**ez

je mange	je man**ge**ais
nous man**ge**ons	nous man**gi**ons
vous mangez	vous man**gi**ez

L'imparfait des verbes en –ier (crier, oublier, etc.) et en –yer (essayer, payer, etc.) + croire, rire et voir

Présent	Imparfait
je crie	je criais
nous crions	nous cri**i**ons
vous criez	vous cri**i**ez

j'essaye (j'essaie)	j'essayais
nous essayons	nous essa**yi**ons
vous essayez	vous essa**yi**ez

je vois	je voyais
nous voyons	nous vo**yi**ons
vous voyez	vous vo**yi**ez

Le verbe *vivre* (voir aussi *survivre, revivre,* etc.)

Présent : je vis, tu vis, il / elle / on vit, nous vivons, vous vivez, ils vivent
Imparfait : je vivais, tu vivais, il / elle / on vivait, nous vivions, vous viviez, ils vivaient
Passé composé : j'ai vécu, tu as vécu, il / elle / on a vécu, etc.
Antoine explique comment il **a survécu**.

Le plus-que-parfait

■ *Il exprime une action antérieure à une autre action passée :*
Il a commencé à pleuvoir. Heureusement, j'**avais pris** un parapluie.

■ *Il se forme à l'aide de l'auxiliaire* avoir *ou* être *à l'imparfait et du participe passé :*
Emma **avait réservé** des chambres dans un chalet.
Rappel des verbes utilisés avec être *: les verbes pronominaux ainsi que* aller, venir, arriver, partir, monter, descendre, entrer, sortir, rester, retourner, tomber, naître, mourir, *etc.*

■ *Avec* être, *le participe passé s'accorde avec le sujet :*
Nous **étions montés** aux Diablerets le samedi soir.
Avec avoir, *le participe passé s'accorde avec le COD, quand il est placé* **avant** *le verbe :*
C'était la poudre de lait qu'un pharmacien suisse **avait inventée** dix ans plus tôt.

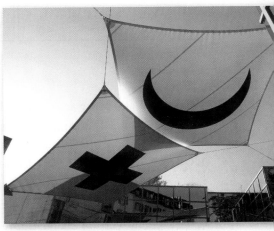

Vous avez dit "absentéisme" ?

PROJET DE L'UNITÉ :
PARTICIPER À UN DÉBAT

1 🎧 Écoute et regarde ! Explique pourquoi Joséphine et Théo « sèchent » de temps en temps les cours ! Puis **repère dans le texte les phrases au futur antérieur** (*avoir* ou *être* au futur simple + participe passé) : **il y en a quatre !**

Image 1
Mère de Théo et de Joséphine : Qu'est-ce que tu fais encore là ? Tu ne m'avais pas dit que tu avais cours ce matin ? Joséphine !!! Je t'ai demandé ce que tu faisais là !

Image 2
Joséphine : Euh… voilà : dans cinq minutes, j'aurai fini d'écrire la page sur la Roumanie que j'ai promise à Léa pour son site.
Mère de Théo et de Joséphine : Tu devrais être au collège ! Ça ne va pas du tout !
Joséphine : Ben, je me serai encore trompée dans mon emploi du temps !

Image 3
Mère de Théo et de Joséphine : Ta sœur vient de m'annoncer qu'elle n'était pas au collège parce qu'elle avait promis d'écrire quelque chose sur la Roumanie !

Image 4
Théo : Elle aura séché les cours[1] au moins une fois ce mois-ci !

Image 5
Joséphine : Et toi ! Souviens-toi quand tu as séché le cours de gym[2] pour réviser l'interro[3] de maths à la bibliothèque ! D'ailleurs tu es nul en maths, tu ne sais même pas compter jusqu'à cinq ! Et… le jour où tu es resté avec Max pour ne pas aller au cours d'anglais, parce que tu n'aimes pas le prof !

Image 6
Mère de Théo et de Joséphine : Je dois y aller ; mais quand je serai revenue du travail, nous aurons une explication, tous les trois !

2 🎧 **Le futur antérieur → Complète à l'oral ! Puis écoute le CD pour vérifier tes réponses !**

Exemple : Quand je (revenir) **…** du travail, nous aurons une explication ! → Quand je **serai revenue** du travail, nous aurons une explication !

1 Théo et Joséphine m'(cacher) **…** pendant tout ce temps qu'ils « séchaient les cours » !

2 Mais demain, je (aller) **…** au collège pour voir le principal.

3 J'(voir) **…** avec lui quelle décision prendre !

4 Quand ils (avoir) **…** une bonne punition, ils comprendront, non ?

Le futur antérieur
= *avoir* ou *être* au futur simple
+ participe passé

---

1. sécher les cours (*style familier*) : *ne pas assister volontairement aux cours.* – 2. la gym : *la gymnastique (le sport)* – 3. l'interro (f.) : *l'interrogation (le test)*

3 🎮📖💬 **Le discours indirect et la concordance des temps avec un verbe introducteur au passé** → Regarde l'exemple et complète à l'oral !

Joséphine a raconté à Léa ce qui s'est passé...

Exemple : « Qu'est-ce que tu fais encore là ? » → Maman m'a demandé ce que **je faisais** encore là.

1 « Tu n'as pas cours ce matin ? » → Elle m'a demandé si ...

2 « Tu dois être au collège ! » → Elle m'a dit que ...

3 « J'écris pour un site Internet sur la francophonie. » → J'ai répondu que ...

4 « C'est sur la Roumanie. » → J'ai ajouté que ...

5 « Ça ne va pas du tout. » → Mais maman m'a dit que ...

6 « Je me suis trompée dans mon emploi du temps. » → Je lui ai expliqué que ...

> **Concordance des temps 1**
> *Discours direct*   *Discours indirect*
> présent   → imparfait

4 🎮📖💬 **Le discours indirect et la concordance des temps avec un verbe introducteur au passé** → Transforme à l'oral d'après l'exemple !

Léa a posé à Joséphine quelques questions...

Exemple : « Tu as vraiment séché les cours ? » → Léa m'a demandé si **j'avais** vraiment **séché** les cours.

1 « Quels cours tu as ratés ? » → ...

2 « Tu as eu une explication avec ta mère ? » → ...

3 « Qu'est-ce que tu as déjà écrit pour la page web sur la Roumanie ? » → ...

4 « Tu as parlé de Dracula ? » → ...

5 « De quels documents tu t'es inspirée ? » → ...

6 « Où tu as trouvé les photos des animaux ? » → ...

> **Concordance des temps 2**
> *Discours direct*   *Discours indirect*
> passé composé   → plus-que-parfait

5 🎧🖊️ Écoute et note les lettres dans l'ordre ! Tu as deux écoutes !

A   un aigle   B   une chouette   C   un chat sauvage   D   un chamois   E   un loup

F   un chevreuil   G   un sanglier   H   un lynx   I   un cerf   J   un ours brun

Vous avez dit "absentéisme" ?

PROJET : PARTICIPER À UN DÉBAT

L'absentéisme au collège

1 Écoute et lis ! Qu'est-ce que tu penses ?

> Moi, je sèche les cours d'histoire. Pourquoi ? En fait, j'adore l'histoire, mais je m'ennuie, car je trouve les cours de moins en moins intéressants. Et puis, mes résultats ne sont pas terribles...

A

> Eh bien, moi, je n'ai jamais séché de cours. Bien sûr, il y a des cours moins intéressants que d'autres, mais on peut toujours apprendre quelque chose. Non, rater un cours, c'est du temps perdu !

B

> Je ne m'entends pas du tout avec le prof de sport. En plus, le sport, ça n'est pas une matière importante, alors je préfère rester chez moi et réviser le test de maths, parce que les maths, ça me sera de plus en plus utile !

C

2 Voici une liste d'affirmations. Reproduis sur une feuille les séries de cases et coche à chaque fois la ou les cases (la ou les réponses) qui sont vraies pour toi !

Je n'ai aucune raison de « sécher les cours » parce que...

1 ...j'aime aller au collège et apprendre tous les jours quelque chose de nouveau. ☐

2 ...j'aime aller au collège pour y retrouver mes copains et mes copines. ☐

3 ...je peux toujours faire autre chose pendant les cours qui ne m'intéressent pas. ☐

4 ...mes parents pourraient apprendre que je rate des cours et ils pourraient me punir. ☐

5 ...j'ai réussi à être dans un très bon collège et j'en suis fier / fière. ☐

6 ...je risque de m'ennuyer si je reste seul(e) à la maison. ☐

J'ai déjà « séché des cours »...

7 ...par ennui, parce que je trouve que certains cours ne sont pas assez intéressants. ☐

8 ...par peur, parce qu'il y a des profs trop sévères. ☐

9 ...par calcul, parce que je choisis de suivre les matières utiles et de « sécher » les matières inutiles. ☐

10 ...par dépit ou par colère, parce que mes talents ne sont pas reconnus au collège. ☐

11 ...par paresse, parce que les profs demandent trop de travail. ☐

12 ...par découragement, parce que mes résultats sont trop mauvais, même si je travaille. ☐

3 Participe ensuite à un débat sur l'absentéisme grâce à un « jeu de rôles » !

■ **Ton professeur a préparé une, deux ou trois séries de numéros de 1 à 12. Toi et tes camarades, vous tirez au sort un numéro : il correspond à une des douze affirmations et donc à un « rôle ».**

■ **Entraîne-toi pour le débat : complète à l'écrit le texte de « ton rôle » en ajoutant des arguments !**

Exemple : J'ai déjà « séché des cours » par dépit ou par colère, parce que mes talents ne sont pas reconnus au collège. J'ai une vraie passion pour la nature ! Mais on ne fait jamais de sorties « nature » et je ne peux pas montrer tout ce que je sais ! Je suis vraiment déçu(e)... Au collège, ce sont les notes qui comptent et pas les talents !

■ **Puis, présente-toi à quelques camarades et, ensemble ou avec toute la classe, échangez vos arguments !**

Vous avez dit "absentéisme" ?

1 🎧 💬 **Écoute Joséphine lire ce qu'elle a écrit pour la page web et réponds aux questions !**

1 Les Carpates, c'est : le château hanté de Dracula ? une plaine couverte de forêts ? un écosystème préservé[1] ?

2 Cite huit noms d'animaux qui vivent dans les forêts roumaines ! Est-ce qu'ils existent dans ton pays ?

3 Quels sont les animaux les plus difficiles à observer ? Et dans ton pays, quels sont les animaux les plus « timides » ?

4 Pourquoi, selon toi, la présence dans les forêts roumaines de nombreux ours bruns, loups et lynx est d'une grande importance ?

Accueil	Dossiers	Infos	Carnets de voyage	Livres

Vie sauvage

Où trouver des ours bruns, des loups, des lynx et des oiseaux par milliers ? En Roumanie, bien sûr !

Vous croyez que Dracula hante toujours les forêts des Carpates ? En fait, plutôt que le célèbre vampire, vous aurez plus de chance de rencontrer un ours brun dans cette région montagneuse : c'est en effet là où vivent entre 40 et 60 % des ours bruns d'Europe !

Voir un ours en Roumanie n'a rien d'impossible (ils ont de moins en moins peur de l'homme) ; observer un loup est de plus en plus difficile. Les forêts des Carpates en hébergent trois mille, un tiers de la population européenne, mais ils se montrent rarement.

LA ROUMANIE

Superficie : 238 390 km^2

Capitale : Bucarest (București)

Villes principales : Bucarest (București), Iași, Constanța, Cluj-Napoca, Galați, Timișoara

Population : 22,5 millions d'habitants

Régime politique : république parlementaire

Langue officielle : roumain

Langue(s) étrangère(s) privilégiée(s) : français, etc.

Roumains célèbres : Constantin Brâncuși, Georges Enesco (George Enescu), Eugène Ionesco (Eugen Ionescu), Ilie Năstase, Gheorghe Zamfir, Nadia Comăneci

Ours brun

Lynx

Le lynx trouve aussi son bonheur dans les forêts roumaines : elles abritent deux mille de ces grands « chats » timides, c'est-à-dire 35 % des lynx d'Europe ! Les ours, les loups et les lynx jouent de plus en plus un rôle de baromètre dans l'écosystème : l'importance de leur population montre la bonne santé des forêts en Roumanie.

Il y a aussi des chevreuils, des cerfs et, en altitude, des chamois. Les sangliers sont présents partout, ainsi que les chats sauvages ou une multitude d'oiseaux comme le grand tétras[2], l'aigle ou la chouette. Bref, la Roumanie est le paradis de la vie sauvage !

Grand tétras

2 💬 📖 💬 **Associe chaque nom de roumain célèbre à une définition !**

1 Il a joué de la flûte de Pan[3] et composé des musiques de films. **2** Il a gagné 87 tournois de tennis. **3** C'est la première gymnaste à avoir obtenu la note maximale de 10 aux Jeux olympiques. **4** Il a réalisé les premières sculptures abstraites. **5** Il est considéré comme le « père » du théâtre de l'absurde. **6** Compositeur, chef d'orchestre, pianiste et violoniste, il a épousé une princesse.

---

1. préservé : *protégé* – 2. le grand tétras : *grand coq de bruyère* – 3. la flûte de Pan : *instrument de musique fait de roseaux de longueur décroissante*

Vous avez dit "absentéisme" ?

La leçon **de Eugène Ionesco**

Eugène Ionesco (1909-1994) est un écrivain d'origine roumaine. Né d'un père roumain et d'une mère française, il est élevé en France jusqu'à l'âge de treize ans. Puis il étudie en Roumanie et devient professeur de français. Il part s'installer définitivement[1] en France en 1938. C'est le « père » du théâtre de l'absurde. *Le Théâtre de la Huchette* à Paris aura joué sans interruption[2] depuis 1957 deux de ses pièces les plus célèbres, *La Cantatrice chauve* et *La leçon* !

Dans La leçon, *Eugène Ionesco met en scène un professeur qui donne une leçon particulière à une jeune élève. Très patients au début, ils finiront l'un et l'autre par perdre leur calme…*

LE PROFESSEUR : Bon, Mademoiselle ! Nous allons faire un peu d'arithmétique, si vous voulez bien… Cela vous ennuierait de[3] me dire… combien font un et un ?

L'ÉLÈVE : Un et un font deux.

LE PROFESSEUR, *émerveillé par le savoir de l'élève* : Oh, mais c'est très bien. Vous me paraissez très avancée
5 dans vos études ! Poussons[4] plus loin : combien font deux et un ?

L'ÉLÈVE : Trois.

LE PROFESSEUR : Trois et un ?

L'ÉLÈVE : Quatre.

LE PROFESSEUR : Cinq et un ?

10 L'ÉLÈVE : Six.

LE PROFESSEUR : Sept et un ?

L'ÉLÈVE : Huit.

LE PROFESSEUR : Sept et un ?

L'ÉLÈVE : Huit… *bis*.

15 LE PROFESSEUR : Parfait. Excellent. Magnifique. Voyons la soustraction. Ah, ah, c'est de plus en plus difficile ! Dites-moi, combien font quatre moins trois ?

L'ÉLÈVE : Quatre moins trois ?… Quatre moins trois ? Ça fait… sept ?

LE PROFESSEUR : Je m'excuse d'être obligé de vous contredire. Quatre moins trois ne font pas sept. Il ne faut plus additionner, il faut soustraire maintenant.

20 L'ÉLÈVE : Quatre moins trois ? Ça ne fait tout de même[5] pas dix ?

1. définitivement : *pour toujours*
2. sans interruption : *sans arrêt*
3. cela vous ennuierait de… : *pourriez-vous…*
4. poussons : *allons*
5. tout de même : *quand même*

6. raisonner : *réfléchir*
7. fait comprendre : *expliquer*
8. vous avez tendance à additionner : *en général vous additionnez*
9. intégrer : *assembler ≠ désintégrer*
10. ajouter : *mettre en plus, additionner*
11. enlever ≠ *ajouter*

LE PROFESSEUR : Oh, certainement pas, Mademoiselle. Il ne s'agit pas de deviner, il faut raisonner[6] : voyons, nous avons le nombre quatre et le nombre trois. Qu'est-ce qu'il est le quatre ? Plus grand ou plus petit que le trois ?

L'ÉLÈVE : Plus petit ?

LE PROFESSEUR : Je me suis mal fait comprendre[7]. Tenez. Voici trois allumettes. En voici encore une, ça fait quatre. Regardez bien, vous en avez quatre, j'en retire une, combien vous en reste-t-il ?

L'ÉLÈVE : Cinq. Si trois et un font quatre, quatre et un font cinq.

LE PROFESSEUR : Ce n'est pas ça. Ce n'est pas ça du tout. Vous avez toujours tendance[8] à additionner. Mais il faut aussi soustraire. Il ne faut pas uniquement intégrer[9]. Il faut aussi désintégrer. C'est ça la vie. C'est ça la science. C'est ça le progrès, la civilisation.

L'ÉLÈVE : Oui, monsieur.

LE PROFESSEUR : Prenons un exemple plus simple. Supposez que vous n'avez qu'une seule oreille.

L'ÉLÈVE : Oui, après ?

LE PROFESSEUR : Je vous en ajoute[10] une, combien en auriez-vous ?

L'ÉLÈVE : Deux.

LE PROFESSEUR : Bon. Je vous en ajoute encore une. Combien en auriez-vous ?

L'ÉLÈVE : Trois oreilles.

LE PROFESSEUR : J'en enlève[11] une... Il vous reste... combien d'oreilles ?

L'ÉLÈVE : Deux.

LE PROFESSEUR : Bon. J'en enlève encore une, combien vous en reste-t-il ?

L'ÉLÈVE : Deux.

LE PROFESSEUR : Non. Vous en avez deux, j'en prends une, je vous en mange une, combien vous en reste-il ?

L'ÉLÈVE : Deux.

LE PROFESSEUR : J'en mange une... une.

L'ÉLÈVE : Deux.

LE PROFESSEUR : Une !!!

L'ÉLÈVE : Deux !!!

LE PROFESSEUR : Non, non ! Vous faites de moins en moins attention ! Ce n'est pas ça. Vous avez... vous avez... vous avez...

L'ÉLÈVE : Dix doigts !

LE PROFESSEUR : Si vous voulez. Parfait. Bon. Vous avez donc dix doigts. Combien en auriez-vous, si vous en aviez cinq ?

L'ÉLÈVE : Dix, Monsieur.

LE PROFESSEUR : Ce n'est pas ça !

L'ÉLÈVE : Mais vous venez de me dire que j'en ai dix !

LE PROFESSEUR : Je vous ai dit aussi, tout de suite après, que vous en aviez cinq !

L'ÉLÈVE : Je n'en ai pas cinq, j'en ai dix !!!

D'après *La leçon*, Eugène Ionesco, 1951

1 **Écoute et lis ! Puis réponds !**

1 Quel métier a exercé Eugène Ionesco jusqu'en 1938 ?

2 On dit de lui que c'est le « père » du théâtre de l'absurde. Relève les détails absurdes dans cet extrait de *La leçon*.

3 Qui te fait le plus rire ou sourire ? Le professeur ou l'élève ? Pourquoi ?

4 On joue cette pièce depuis combien d'années au *Théâtre de la Huchette* à Paris ?

2 **Transforme les phrases au discours indirect !**

L'élève raconte sa « leçon particulière »...

1 Le professeur a commencé par me dire : « Nous allons faire un peu d'arithmétique. »

2 D'abord, il m'a demandé : « Combien font un et un ? » (C'était trop facile...)

3 Ensuite, il m'a demandé : « Est-ce que le quatre est plus grand ou plus petit que le trois ? » (Ça, c'était trop difficile...)

4 Après, il m'a annoncé : « Je vous mange une oreille ! » (Je crois que ce professeur est fou, non ?)

Communication

Tu sais maintenant…

■ **rapporter un propos, une question :**
Je t'ai demandé ce que tu faisais là.

■ **exprimer une action accomplie dans le futur :**
Dans cinq minutes, j'aurai fini d'écrire la page web.

■ **exprimer une hypothèse à propos d'un événement passé :**
Je me serai encore trompée dans mon emploi du temps !

■ **exprimer une récapitulation, un bilan :**
Elle aura séché les cours au moins une fois ce mois-ci.

■ **rappeler quelque chose à quelqu'un :**
Souviens-toi quand tu as séché le cours de gym !

■ **exprimer la déception, l'insatisfaction :**
Je suis vraiment déçu(e).

■ **exprimer son approbation :**
Oh, mais c'est très bien !
Bon. Parfait. Excellent. Magnifique.

■ **exprimer sa désapprobation :**
Ça ne va pas du tout !
Certainement pas. Ce n'est pas ça !

■ **énoncer une opération (addition, soustraction) :**
Combien font sept et un ? Combien font quatre moins trois ?

Vocabulaire

Sentiments

le calcul → par calcul
le calme

la colère
le découragement

le dépit → par dépit
l'ennui (m.) → par ennui

l'importance (f.)
la paresse → par paresse

Animaux

l'aigle (m.)
le cerf
le chamois

le chat sauvage
le chevreuil
la chouette

le loup
le lynx
l'oiseau (m.) pl. : les oiseaux

l'ours (m.) brun
le sanglier

Apprentissage, musique et autres…

l'absentéisme (m.)
l'addition (f.)
l'allumette (f.)
l'arithmétique (f.)
le chef d'orchestre

le compositeur
la décision
l'écosystème (m.)
l'explication (f.)
le (la) gymnaste

les Jeux olympiques (m. pl.)
le paradis
le (la) pianiste
la population
la punition

la sculpture
la soustraction
le talent
le tournoi (de tennis)
le (la) violoniste

Verbes

abriter
additionner
annoncer
compter

contredire
s'ennuyer
étudier
faire attention

héberger
se montrer
raisonner
réviser

sécher les cours (fam.)
soustraire
supposer
se tromper

Adjectifs, adverbes et locutions

déçu(e)
de moins en moins
de plus en plus

excellent(e)
montagneux / montagneuse
obligé(e)

patient(e)
plutôt que
roumain(e) (la Roumanie)

sauvage
sévère
simple

Grammaire

Le futur antérieur

= *avoir* ou *être* au futur (simple) + **participe passé**
Il peut exprimer :

■ *une action considérée comme accomplie dans le futur :*
Demain, **j'aurai vu** avec le principal quelle décision prendre.

■ *une action future, antérieure à une autre présentée au futur simple :*
Quand je **serai revenue** du travail, nous **aurons** une explication, tous les trois !

■ *une hypothèse à propos d'un événement passé :*
Je me **serai trompée** !

■ *une récapitulation, un bilan :*
Le Théâtre de la Huchette **aura joué** sans interruption *La leçon* depuis 1957.

Le discours et l'interrogation indirects

■ *Le discours indirect permet de rapporter ce que dit quelqu'un. Il est introduit par* **que (qu')**.
L'interrogation indirecte peut être introduite par **si** *ou* **ce que**. *Sinon, les mots interrogatifs restent les mêmes que dans l'interrogation directe.*

■ *Les personnes, ainsi que le temps des verbes, sont transposés du point de vue du narrateur.*
Sa mère demande à Joséphine : « **Qu'est-ce que tu fais** là ? » → Sa mère lui demande **ce qu'elle fait** là.

La concordance des temps

■ *Si le verbe introducteur est au présent ou au futur, il n'y a pas de changements de temps dans le discours rapporté :*
Il me demande : « Combien font un et un ? » → Il me demande combien **font** un et un.

■ *Si le verbe introducteur est au passé (composé ou imparfait)*
– *le présent devient imparfait :*
Il m'a demandé : « Combien font un et un ? » → Il m'a demandé combien **faisaient** un et un.
– *le passé composé devient plus-que-parfait :*
Il m'a dit : « Vous n'avez pas fait attention ! » → Il m'a dit que je **n'avais pas fait** attention.

Locutions adverbiales *de moins en moins / de plus en plus*

Les ours ont **de moins en moins** peur de l'homme.
Observer un loup est **de plus en plus** difficile.

Pour mieux participer à un débat

■ Exprime tes opinions en les introduisant par *À mon avis...*, *Moi je trouve (je pense) que...*, etc.

■ Développe tes arguments en utilisant à *cause de*, *grâce à*, *parce que* (cause), *donc*, *alors*, *c'est pourquoi* (conséquence), *pour* (but), *mais*, *au contraire*, *pourtant* (opposition ou concession), etc.

Culture et civilisation

La Roumanie

Le château de Bran
(résidence imaginaire de Dracula...)

Le monastère de Voronet

Le Sfinxul (Sphinx) du parc naturel de Bucegi

Bucarest : le palais du Parlement

Réalise une page web sur la Roumanie en utilisant ces photos ou d'autres ! Publie-la sur le site de ton collège ou affiche-la dans ta classe !

On révise et on s'entraîne pour le DELF B1 !

Nom : .... Prénom : ....

Compréhension de l'oral (25 points)

1 Écoute cette présentation de la francophonie sur RFI, Radio France Internationale, et coche les noms de pays entendus ! Lis d'abord les noms ! Tu as deux écoutes !

1 la Belgique ☐　**4** le Liban ☐　**7** le Sénégal ☐
2 le Canada ☐　**5** le Luxembourg ☐　**8** la Suisse ☐
3 l'Italie ☐　**6** la Roumanie ☐　**9** le Viêtnam ☐

2 Voici un extrait du journal télévisé de TSR1, une chaîne de la télévision suisse romande ! Écoute et coche les bonnes réponses ! Lis d'abord les phrases. Tu as deux écoutes !

1 Dans le canton du Valais, un morceau de glacier a enseveli deux personnes. ☐
2 Quatre autres personnes ont été blessées. ☐
3 L'accident s'est passé vers 13 heures 30 de l'après-midi. ☐
4 Le morceau du glacier s'est effondré à cause du réchauffement. ☐
5 Les alpinistes n'étaient pas expérimentés. C'était la première fois qu'ils faisaient une randonnée. ☐
6 Cette partie du glacier est considérée comme dangereuse. ☐
7 Les deux alpinistes portés disparus n'ont toujours pas été retrouvés. ☐
8 Les secouristes doivent reprendre leurs recherches demain matin. ☐

3 Écoute le répondeur de ce célèbre musée et complète le tableau ! Tu as deux écoutes !

Nom du musée :	Œuvres présentées : ...., sculptures,
Date d'inauguration :	affiches, ...
Surface du bâtiment : .... m²	Jours et heures d'ouverture : ....
Localisation : Place .... à Bruxelles	....

Compréhension des écrits (25 points)

1 Lis cet article paru sur le site de l'association *Ferus* et réponds aux questions !

> Mardi 25 novembre 2008
>
> ### *Des loups et des lynx en liberté en Suisse, mais plus aucun ours, selon le WWF[1]*
>
> Huit loups se promènent en Suisse. L'an dernier, il y en avait officiellement cinq. Le loup est en train de « coloniser » le nord des Alpes. L'organisation WWF recommande plus de moyens pour la protection des troupeaux, car ils ne sont pas assez protégés : dans le Valais, un loup a pu tuer une quarantaine de moutons qui n'étaient pas assez bien gardés.
>
> Quant aux lynx, il y en aurait une centaine en Suisse. C'est la population de lynx la plus importante dans les Alpes. Mais dès que le nombre de lynx s'accroît dans une région, les conflits avec les chasseurs augmentent aussi. Les chasseurs font du « lobbying » et chaque canton a une politique différente concernant les lynx : cela empêche le développement de leur population.
>
> Enfin, selon un bilan tiré mardi par l'organisation de défense de la biodiversité, il n'y a plus aucun ours en liberté sur le territoire helvétique. Le dernier ours des Grisons aurait été tué en avril. Des discussions avec les chasseurs, les éleveurs et les autorités doivent préparer au retour de l'ours.

1 En novembre 2008, quelle était la population de loups, de lynx et d'ours en Suisse ?

....

---

1. le WWF : *Le World Wide Fund for Nature est une organisation de protection de la nature et de l'environnement. Elle a son siège en Suisse.*

2 Quels sont, selon toi, les arguments des chasseurs, des éleveurs et des autorités contre les loups, les lynx et les ours ?

....

....

....

2 📖 **Lis cet extrait d'un guide touristique ! Puis écris vrai (V) ou faux (F) et** <u>justifie ta réponse</u> **!**

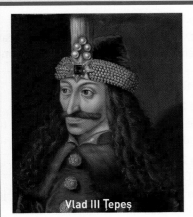

Vlad III Țepeș

La légende de Dracula

Liée à la Transylvanie, la légende de *Dracula* repose sur l'imaginaire d'un écrivain irlandais, Bram Stoker qui a remarquablement décrit une région où il n'est jamais allé ! Mais l'histoire vraie de Vlad III Țepeș, voïvode[2] de Valachie, a aussi marqué les esprits.

Le véritable *Dracula* naît en 1431 à Sighișoara, en Transylvanie. Il s'appelle Vlad comme son père Vlad II le Dragon (Vlad Dracul) qui avait reçu de l'empereur Sigismond l'ordre du Dragon (Dracul) pour sa bravoure contre les Turcs.

Vlad n'a que 11 ans lorsque lui et son frère sont enlevés et emmenés comme otages à la cour ottomane[3]. Pendant les six années de leur captivité, ils assistent au spectacle quotidien de la terreur. Cette expérience va alimenter chez Vlad une soif de revanche[4] féroce et durable.

Le jeune voïvode reprend le contrôle de la Valachie en 1456. Il aurait alors régné avec une sauvagerie[5] étonnante. Beaucoup estiment pourtant que sa réputation de barbarie a été exagérée, car les récits qui le décrivent, lui et sa manière de gouverner, ont été écrits par ses ennemis. Le surnom de Vlad Țepeș (c'est-à-dire Vlad l'Empaleur[6]) ne lui sera donné qu'après sa mort.

Extrait de La Bibliothèque du voyageur : la Roumanie

1 Le roman Dracula a été écrit par l'écrivain Bram Stoker.

2 L'écrivain irlandais connaissait bien la Transylvanie.

3 Le père du véritable Dracula a reçu le surnom de Dragon.

4 Son fils Vlad est resté prisonnier six ans à la cour ottomane.

5 Cette expérience l'a rendu sensible et généreux.

6 Ses qualités ont été reconnues même par ses ennemis.

Production écrite (25 points)

1 📝 **Écris le récit d'une excursion que tu as faite (réelle ou imaginaire) ! Utilise le passé composé, l'imparfait et le plus-que-parfait ! (90-100 mots)**

Nous sommes parti(e)s... Le temps était... Il a commencé à... Je n'avais pas pris...

2 📝 **Rédige trois publicités pour du chocolat : a) un chocolat au lait b) un chocolat noir fondant c) un chocolat avec du nougat, du miel et des amandes ! (20-25 mots pour chaque publicité)**

Découvrez ... ! Goûtez à ... ! Offrez ... !

Production et interaction orales (25 points)

1 💬 **Relis le texte paru sur le site *Ferus* sur les loups, les lynx et les ours ! Puis fais un petit exposé pour expliquer comment on peut réintroduire des animaux sauvages (ours, loups, lynx, aigles, etc.) dans un pays où ils ont disparu !**

Il faut d'abord définir quels animaux peuvent être réintroduits et combien, etc. Puis avec les habitants, il faut déterminer où et comment les animaux sauvages peuvent vivre, etc.

2 💬 **Tu as décidé d'assister seulement à certains cours que tu trouves intéressants et d'en « sécher » d'autres, parce que tes résultats sont trop mauvais. Tu argumentes avec ton professeur !**

– J'ai décidé de ne plus aller aux cours de maths, parce que je suis trop mauvais(e), etc. – Mais, tu devrais justement ne pas abandonner cette matière ! – Oui, mais...

2. le voïvode : *gouverneur* – 3. ottoman : *turc* – 4. la revanche : *vengeance* – 5. la sauvagerie : *brutalité, cruauté* – 6. l'empaleur : *soumet au supplice du pal*

Au self-service

 **1** Écoute et lis ! Qu'est-ce que tu penses des goûts de Théo et de la réaction d'Agathe ?

Image 1

Agathe : Hamburger, frites, mayonnaise, gâteau à la crème... Si tu continues à manger comme ça, tu auras bientôt des problèmes !

Théo : Quels problèmes ?

Image 2

Agathe : En mangeant comme tu le fais, tu deviendras obèse !

Image 3

Théo : Occupe-toi de tes affaires !

Agathe : Quoi ? J'essaie de t'aider... Bon, je ne te dirai plus rien, salut !

Image 4

Léa : Qu'est-ce qui s'est passé ?

Max : Agathe a dit à Théo que s'il continuait à manger cette nourriture trop grasse et trop riche, il aurait des problèmes et qu'il deviendrait obèse. Théo s'est fâché : tu le connais, il se fâche tout de suite... Et Agathe est partie !

Image 5

Huong Lan : Agathe a raison ! Ces plats trop gras et pleins de sucre, c'est mauvais pour la santé. J'ai déjà parlé au cuisinier du self-service... Demain, il proposera une soupe vietnamienne !

Théo : Une soupe ?

Image 6

Huong Lan : Oui, une bonne soupe avec des nouilles de riz, de la viande et des herbes : c'est bon, copieux et c'est excellent pour la santé !

2 Le discours indirect et la concordance des temps avec un verbe introducteur au passé → Regarde l'exemple et complète à l'oral ! Puis écoute le CD pour vérifier tes réponses !

Exemple : « Si tu continues, tu auras bientôt des problèmes ! » → Agathe a dit à Théo que s'**il continuait**, **il aurait** bientôt des problèmes.

1 « En mangeant comme tu le fais, tu deviendras obèse ! »
→ Agathe a dit qu' **...**

2 « J'essaie de t'aider. » → Elle lui a expliqué qu' **...**

3 « Je ne te dirai plus rien ! » → Et puis elle a crié qu' **...**

4 « Agathe a raison. » → Moi, j'ai dit qu' **...**

5 « Ces plats sont mauvais pour la santé. » → J'ai ajouté que **...**

6 « Le cuisinier du self-service proposera une soupe vietnamienne. » → J'ai annoncé que **...** . C'est une bonne idée, non ?

Concordance des temps 1	
Discours direct	**Discours indirect**
présent	→ imparfait
futur simple	→ conditionnel présent

3 💬 **Le discours indirect et la concordance des temps avec un verbe introducteur au passé → Transforme à l'oral d'après l'exemple !**

Max raconte ce que Théo lui a confié...

Exemple : « J'ai été vraiment idiot, mais dans cinq minutes, j'aurai envoyé un texto à Agathe. » → Théo m'a dit qu'il avait été vraiment idiot, mais que dans cinq minutes **il aurait envoyé** un texto à Agathe.

1 « Agathe a été assez brutale, elle aussi ! » → Mais il a ajouté qu' **...**

2 « Elle aura peut-être voulu m'aider ? » → Il s'est demandé si **...**

3 « Demain, je serai allé lui parler. » → Il a dit que **...**

4 « J'espère qu'elle m'aura bientôt pardonné ! » → Il a dit aussi qu' **...**

> **Concordance des temps 2**
>
> | Discours direct | Discours indirect |
> |---|---|
> | passé composé | → plus-que-parfait |
> | futur antérieur | → conditionnel passé |

4 👁📖 👁✏ **Lis et réponds aux questions !**

Le « Programme Nutrition-Santé* » : comment manger équilibré

■ **En mangeant au moins cinq fruits et/ou légumes par jour, tu fais le plein de vitamines et de minéraux qui protègent ta santé et ne te font pas grossir !**

→ Recopie la liste des mots en mettant d'un côté les légumes et de l'autre les fruits !

ananas – carotte – cerise – chou-fleur – fraise – haricot vert – mangue – oignon – pamplemousse – papaye – poireau – tomate

■ **En prenant des féculents pendant le repas** (mais sans les noyer dans des sauces grasses...), tu augmentes tes réserves d'énergie !

→ Voici le nom de dix féculents. Associe-les aux dessins de A à J !
céréales – haricots blancs / rouges – maïs – manioc – pain – pâtes – pois – pommes de terre – riz – semoule

■ **En buvant du lait ou en mangeant des produits laitiers, tu apportes du calcium à tes os.**

→ Regarde les mots et trouve les intrus, c'est-à-dire ceux qui ne sont pas vraiment des produits laitiers (dessins de 1 à 6) !
lait – yaourt – fromage – crème dessert – fromage blanc – beurre

■ **En consommant de la viande, du poisson ou des œufs, tu apportes des protéines et du fer à tes muscles, à ton cœur et à ton cerveau.**

→ Quelles sont les viandes les plus consommées dans ton pays ? le bœuf ? le veau ? le mouton ? l'agneau ? le porc ? le poulet ? le canard ? etc. On mange aussi des poissons ? Lesquels ?

■ **En limitant les matières grasses et les produits sucrés** qui apportent beaucoup de calories, tu réduis le risque de grossir !

→ Tu aimes la mayonnaise, le beurre, la confiture, les gâteaux, les croissants, les pains au chocolat, les crèmes dessert, les glaces, les barres chocolatées et les sodas ? ... Ils sont tous riches en graisse ou en sucre ? ... Alors, n'en mange pas trop !

■ **Et... en bougeant et en faisant du sport, tu gardes la forme !**

5 👁✏ **Le gérondif → Regarde l'exemple et transforme les verbes !**

> **Le gérondif** = en + participe présent
> (radical 1re personne du pluriel au présent)
> manger → nous mangeons → en mangeant

Exemple : manger → en mangeant

aller – boire – bouger – commencer – faire – finir – lire – ouvrir – prendre – voir

*Le Programme National Nutrition-Santé a été validé et mis en place par l'Agence française de sécurité sanitaire des aliments (AFSSA) et par l'Institut national de prévention et d'éducation pour la santé (INPES). Voir le site www.manger-bouger.fr

Au self service

PROJET : PARTICIPER À UN CONCOURS DE RECETTES DE CUISINE

**Tu en as assez de manger toujours la même chose ? Tu voudrais manger plus varié, mais aussi plus équilibré ?
Tu voudrais goûter et faire goûter de nouvelles saveurs ?
Propose ta nouvelle recette au cuisinier de ta cantine ou de ton self-service ou bien prépare-la à la maison !**

1 **Lis les questions et écris les réponses sur une feuille pour réaliser ta fiche-projet !**

1 Pense à un plat que tu aimes bien (pas trop gras ou pas trop sucré) ! Écris son nom (aide-toi du dictionnaire) : ...
Il a une saveur* plutôt acide ☐ ? amère ☐ ? salée ☐ ? sucrée ☐ ? piquante ☐ ? autre ☐ ?

2 Transforme ce plat en ajoutant un ou plusieurs ingrédients (morceau de viande ou de poisson, légume frais ou sec, fruit frais ou sec, fromage, etc.) ! Note le nom du ou des ingrédients : ...

3 Transforme-le aussi en mélangeant des saveurs !
Regarde d'abord la liste des épices et associe une définition à chacune d'elles ! Exemple : A-1

A le basilic	**D** le cumin	**G** le (clou de) girofle	**J** le poivre
B la cannelle	**E** le curry	**H** la (noix de) muscade	**K** le safran
C la coriandre	**F** le gingembre	**I** le piment	**L** le thym

Définitions : 1 Dans la cuisine italienne, il est la base du *pesto*. – **2** C'est une préparation d'épices très utilisée dans la cuisine indienne. – **3** Son nom viendrait du mot arabe *asfar* (jaune) ou du mot persan *zarparan* (plume d'or). – **4** Les Aztèques l'utilisaient avec du cacao. – **5** On le trouve dans des fromages hollandais comme le *gouda* ou l'*edam*. – **6** Il peut être vert, blanc, noir, rouge ou gris. – **7** Elle est utilisée dans la soupe algérienne *chorba*. – **8** Il fait partie des *herbes de Provence*. – **9** Elle parfume les plats salés ou sucrés. – **10** En Tunisie, on l'utilise en infusion avec le thé. – **11** Sec ou en poudre, piquant, il parfume le *pain d'épices*. – **12** Elle est originaire du Sri Lanka.

Choisis maintenant une épice (ou plusieurs) pour ta nouvelle recette ! (Tu peux bien sûr en choisir d'autres !) Écris le nom de l'épice ou des épices choisies : ...

4 Tu peux aussi transformer ce plat en le préparant autrement :

...en le faisant griller au four.

...en le faisant frire à la poêle.

...en le faisant bouillir.

...en le faisant cuire à la vapeur.

...en le servant glacé.

...en trouvant une autre idée !

2 **Compare maintenant tes réponses avec celles de trois ou quatre voisins ou voisines, votez pour la meilleure idée et écrivez votre recette !**

3 **Ton professeur ramasse les recettes, les présente à la classe et fait voter pour la meilleure de toutes !** Cette recette pourra être proposée au cuisinier de la cantine ou du self-service de ton collège (de ton lycée) ou préparée à la maison !

Bonne chance et bon appétit !

---

* Complété par d'autres perceptions (couleur, odeur, etc.), le sens du goût perçoit des saveurs qui se mélangent en général dans un même aliment : la pomme, par exemple, est sucrée et acide.

1 🔖✍ 💬 Transforme d'abord les verbes en gras entre parenthèses au gérondif ! Puis écoute le texte écrit par Huong Lan et Léa !

amisetcompagnie.fr

La cuisine vietnamienne

En **(goûter)** ... à la cuisine vietnamienne, on découvre une cuisine légère et très variée.

Elle comporte beaucoup d'herbes et de légumes et, de plus, elle ne revient pas très cher : c'est une cuisine qui a beaucoup de qualités !

« Prendre son repas » se dit ăn cơm en vietnamien, ce qui signifie aussi « manger du riz » ! Cela montre combien le riz est important dans la vie quotidienne. Au Viêtnam on sert du riz blanc avec les plats de viande ou de poisson.

Il y a un ingrédient très important, le *nước mắm*, une sauce de couleur brune faite à base de poissons fermentés dans une saumure[1].

Au Viêtnam, on peut commencer la journée en **(manger)** ... un *phở*. C'est un bouillon[2] avec des nouilles[3] de riz, des morceaux de bœuf ou de poulet, des herbes et des épices comme la coriandre ou les clous de girofle. Le *phở* peut être consommé à toute heure de la journée.

Phở

LE VIÊTNAM

Superficie : 331 690 km²

Capitale : Hanoi

Villes principales : Hô Chí Minh-Ville, Hanoi, Hải Phòng, Đà Nẵng, Huê, Nha Trang

Population : 87 millions d'habitants

Régime politique : République socialiste

Langue officielle : vietnamien

Langue(s) étrangère(s) privilégiée(s) : français, etc.

Vietnamiens célèbres : Nguyễn Du, Ngô Văn, Nguyễn Xuân Hùng, Bảo Ninh, les sœurs Tran-Nhut, (écrivains) ; Trần Anh Hùng, Đặng Nhật Minh, Ngô Quang Hải, (cinéastes) ; Ea Sola (chorégraphe) ; Phạm Tuân (cosmonaute), etc.

Nem

Parmi les plats traditionnels, il y a aussi le *nem* ou *pâté impérial*. C'est une crêpe de riz enroulée en cylindre, qui contient des petits vermicelles[4], du crabe, des morceaux de porc, de l'oignon et des champignons de mer. On prépare les nems en les **(faire)** ... frire dans l'huile et on les sert bien chauds.

On finit souvent le repas en **(servir)** ... des fruits frais comme l'ananas, la banane, l'orange, la papaye, la mangue ou le pamplemousse.

2 🔖✍ 💬 Réponds aux questions !

1 Trouve l'histoire de l'alphabet vietnamien basé sur l'alphabet latin, le *quốc ngữ* ! Il a été créé par qui ? Il est devenu officiel quand ?

2 Est-ce que des plats vietnamiens comme le *phở* ou le *nem* te paraissent équilibrés ? Oui ? Non ? Pourquoi ?

3 Qu'est-ce qu'on sert au Viêtnam avec les plats de viande ou de poisson ? Et dans ton pays, qu'est-ce qu'on sert ? Du riz, du maïs, des pâtes, des pommes de terre, de la semoule, du pain ? On sert autre chose ?

4 Cite un plat traditionnel de ton pays, puis donne ses ingrédients et sa recette !

5 Quelle est l'épice ou la sauce qu'on utilise beaucoup dans la cuisine de ton pays ? Est-ce qu'on sert des desserts ? Lesquels ?

3 💬 Écoute et chante la chanson !

Goûte aux épices, c'est un délice...
Goûte au bonheur de nouvelles saveurs !
Coriandre et gingembre ! (2 x)

Piment et safran ! (2 x)
Cumin, poivre et thym ! (2 x)
Goûte aux épices, c'est un délice !

1. la saumure : *eau très salée* – 2. le bouillon : *potage (soupe)* – 3. les nouilles : *pâtes plates ou rondes* – 4. les vermicelles : *pâtes à potage très fines*

Au self service

L'Odeur de la papaye verte de Trần Anh Hùng

Trần Anh Hùng est un réalisateur d'origine vietnamienne, né en 1962 à Mỹ Tho au Viêtnam. Réfugié en France depuis 1975, il y fait des études d'opérateur de cinéma. Il réalise son tout premier long métrage *L'Odeur de la papaye verte* en 1993. Intégralement tourné en studio à Paris, le film remporte la Caméra d'Or[1] du Festival de Cannes et le César de la meilleure première œuvre (1994).

Scénario
Saïgon 1951. Une petite paysanne vietnamienne, Mùi, entre au service de riches bourgeois de la ville, ses nouveaux « patrons ». La vieille servante Ti lui apprend à préparer et à servir les repas.

Séquence 2 – Intérieur. Jour. La maison et le jardin potager.

Le jour est à peine levé. Depuis la fenêtre de la chambre où Mùi a dormi pour la première fois chez ses nouveaux patrons, on voit un papayer[2] dans le jardin potager. Mùi se réveille et aperçoit Ti, la vieille servante, choisir une papaye.

TI : *Rendors-toi ! La patronne l'a ordonné. Je te réveillerai pour faire le feu.*

5   Mùi se lève. **En respirant** l'air du matin, elle sent l'odeur de la papaye fraîchement coupée. Mùi respire cette odeur avec plaisir. Elle va voir Ti dans la cuisine près du jardin potager et s'assoit, comme elle, sur un petit banc de bois. Elle suit avec attention les gestes de la servante. Ti met d'abord des légumes verts dans une poêle (un wok) posée sur des braises et les fait sauter à feu vif **en les remuant** avec des baguettes.

10   TI : *Rappelle-toi : pour ce plat, la graisse doit être chaude. Fais sauter les légumes. Il faut les griller, ça parfume. Il ne faut pas trop les cuire, ça ramollit[3]. Ensuite, tu les mets de côté.*

Ti met les légumes dans un plat.

TI : *Pour la viande, tu fais pareil.*

Ti a mis des petits morceaux de viande et d'oignons dans la poêle et les fait frire **tout en continuant
15   à donner ses conseils**.

TI : *La graisse fait briller les légumes bouillis. C'est plus beau. Pour nous, beau ou pas, ça va dans le ventre. Mais nos patrons sont différents. Quand c'est cuit…*

Ti ajoute les légumes à la viande et verse un peu de sauce nước mắm. Elle continue à remuer les ingrédients qui cuisent dans la poêle.

1. la Caméra d'Or du Festival de Cannes : *prix cinématographique qui encourage de jeunes artistes au talent prometteur*
2. le papayer : *arbre exotique qui produit la papaye, un fruit quand elle est mûre, un légume quand elle est verte*
3. ramollir : *rendre mou*

4. la cuvette : *la bassine*
5. la belle-mère : *la mère du mari*
6. attablé : *assis devant la table*
7. l'hostilité (f.) : *antipathie, haine*

20 TI : *Ensuite, tu mets les légumes et la viande dans deux assiettes. N'oublie pas d'en garder pour nous.*

Ti a laissé une bonne part de viande et de légumes dans la poêle. On entend une cloche sonner.

TI : *Voilà, grand-mère a fini sa prière.*

MÙI : *C'est la mère de qui ?*

TI : *Du patron. Lave-toi les mains. Elle a perdu son mari peu après la naissance du patron. Maintenant, elle* 25 *passe son temps à prier.*

Mùi se lave les mains dans une cuvette⁴ posée sur le sol. Ti verse de la soupe avec des nouilles dans un plat.

TI : *Vite, mets du riz dans un grand bol.*

Ti dépose le plat sur un plateau. Mùi retire le couvercle d'une marmite et met du riz dans un grand plat creux. Ti pose les assiettes déjà préparées sur le plateau. La patronne arrive **en souriant**.

30 LA PATRONNE : *Tout est prêt ?*

TI : *Oui, c'est prêt. Mùi, prends le plateau de grand-mère !*

LA PATRONNE : *C'est bon, je le prends.*

TI (tend un deuxième plateau à Mùi) : *Alors, prends celui-ci !*

Fond sonore : Voix d'enfants, musique.

35 La patronne et Mùi vont vers la salle à manger **en portant** chacune un plateau. La patronne monte le repas dans la chambre de sa belle-mère⁵. Mùi arrive, elle, dans la salle à manger. Le patron et ses deux jeunes fils, Lam et Tin, sont déjà attablés⁶ et attendent d'être servis. Tin, le plus petit, est assis sur les genoux de son père. Il semble être le seul à remarquer l'arrivée de Mùi avec son plateau. Il la regarde fixement, avec hostilité⁷. Mùi dépose les assiettes et les plats sur la table. Tin se lève pour rejoindre sa place **en lançant** un 40 bras comme s'il allait frapper la petite servante, mais il finit par s'asseoir sur sa chaise. Les trois hommes commencent à manger. Le fils aîné, Trung, arrive avec son ami Khuyên.

TRUNG : *Papa, je mangerai dehors avec Khuyên. Nous serons rentrés pour le thé.*

D'après le scénario du film *L'Odeur de la papaye verte*, 1993

🎧 📖 💬 **Écoute et lis ! Puis réponds !**

1 Trần Anh Hùng est arrivé à quel âge en France ? Il y a fait quelles études ?

2 Réécris la recette du plat préparé par Ti, en commençant par : *Faire sauter les légumes dans de la graisse chaude, puis...*

3 Qu'est-ce que Ti a préparé en plus ? un *phở* ? des *nems* ? Qu'est-ce qu'elle va servir avec le plat de viande et de légumes ?

4 Relève dans le texte les phrases ou les situations qui montrent bien la condition de servante de Ti et de Mùi, au service de leurs « patrons ».

5 Repère les gérondifs en gras dans le texte et regarde la grammaire page 35. Qu'est-ce que chacun des gérondifs exprime ? la simultanéité ? le temps ? la manière ?

6 Transforme les dernières répliques de Trung au discours indirect en introduisant par : *Trung a dit à son père qu'il...*

Communication

Tu sais maintenant…

■ **exprimer un doute, un désaccord :**
Comment ça ?

■ **refuser une proposition ou une demande :**
Occupe-toi de tes affaires !

■ **chercher à obtenir des informations :**
Qu'est-ce qui s'est passé ?

■ **rapporter des propos :**
Elle a dit que s'il continuait, il deviendrait obèse.

Vocabulaire

Fruits, légumes, vitamines et santé

l'ananas (m.)	le chou-fleur	les herbes (de Provence) (f. pl.)	le pamplemousse
la carotte	le cœur	la mangue	la papaye
la cerise	le fer	les minéraux (m. pl.)	le poireau
le cerveau	la fraise	le muscle	la protéine
le champignon	le haricot vert	l'oignon (m.)	la vitamine

Féculents

les céréales (f. pl.)	le manioc	le (petit) pois	la semoule
le haricot blanc (ou rouge)	la nouille	la pomme de terre	
le maïs	les pâtes (f. pl.)	le riz	

Viandes et autres produits

l'agneau (m.)	le crabe	le mouton	le produit laitier
la barre chocolatée	le dessert	le plat	la sauce
le bœuf	la graisse	le poulet	le soda
le canard	la mayonnaise	le porc	le veau

Épices

le basilic	le cumin	le (clou de) girofle	le poivre
la cannelle	le curry	la (noix de) muscade	le safran
la coriandre	le gingembre	le piment	le thym

Verbes

(faire) bouillir	garder	jeter	remuer
consommer	goûter	lancer	respirer (U 2)
(faire) cuire	(faire) griller	limiter	(faire) sauter
frapper	grossir	pardonner	servir

Adjectifs

acide	copieux / copieuse	obèse	salé(e)
amer / amère	équilibré(e)	piquant(e)	sucré(e)
brutal(e)	gras / grasse	riche	varié(e)

Grammaire

La concordance des temps (suite)

Si le verbe introducteur est au passé (composé ou imparfait)
– le futur simple devient conditionnel présent :
Elle lui dit : « Tu auras bientôt des problèmes. » → Elle lui dit **qu'il aurait** bientôt des problèmes.
– le futur antérieur devient conditionnel passé :
Il m'a confié : « Dans cinq minutes, je lui aurai envoyé un texto. » → Il m'a confié que dans cinq minutes, **il lui aurait** envoyé un texto.

Le gérondif

■ *En + participe présent, formé sur le radical de la 1re personne du pluriel au présent :*
manger → nous mangeons → en mangeant
Exceptions :
être → en **étant** – avoir → en **ayant** – savoir → en **sachant**

■ *Il exprime une action dont le sujet est le même que celui du verbe de la phrase :*

En mangeant des fruits,	**tu** fais le plein de vitamines.
(= Quand **tu** manges des fruits,	**tu** fais le plein de vitamines.)

■ *Il exprime la simultanéité : il indique que l'action se déroule en même temps que celle du verbe de la phrase :*

Tin se lève pour rejoindre sa place	**en lançant** un bras.
(= Tin se lève pour rejoindre sa place	**et** lance un bras.)

■ *Il exprime la localisation dans le temps :*

En respirant l'air du matin,	Mùi sent l'odeur de la papaye.
(= **Quand** elle respire l'air du matin,	Mùi sent l'odeur de la papaye.)

■ *Il exprime la condition ou la cause :*

En mangeant comme tu le fais,	tu deviendras obèse.
(= **Si** tu manges comme tu le fais,	tu deviendras obèse.)

■ *Il exprime la manière :*

Tu peux aussi transformer ce plat	**en le faisant** griller au four.
(= Tu peux aussi transformer ce plat	**de la manière suivante :** tu le fais griller au four.)

Stratégies

Pour mieux faire une activité ou un exercice...

■ Lis soigneusement la consigne ou la question. Repère les mots importants !

■ Quand un exemple est donné, regarde bien les mots écrits en gras, s'il y en a, et comment ils ont été transformés !

■ Va chercher de l'aide dans les chapitres « On récapitule » et dans la grammaire à la fin de ce livre !

Culture et civilisation

Le Viêtnam

Marché flottant dans la baie d'Along

Sur un marché de Hô Chí Minh-Ville

Sur un marché Hmong

Sur la route du marché de Son La

À part la population vietnamienne, il y a au Viêtnam de nombreuses populations qui ont une langue et des coutumes propres. Trouve des informations sur Internet !

Tourisme durable

1 Écoute et lis ! Quel voyage prépare Max ? Quels conseils lui donne Léa ?

Image 1

Max : Alors… voilà mon passeport. <u>Il faut</u> que je **demande** un visa. <u>Il est</u> peut-être <u>utile</u> que j'**aie** ma carte de vaccination ?

Image 2

Léa : Tu vas où ?

Max : <u>Il est prévu</u> qu'on **aille** à Madagascar pour les prochaines vacances.

Image 3

Max : C'est à 8 700 kilomètres de la France et on y va en avion, évidemment.

Léa : <u>Il faudrait</u> que tu **trouves** sur Internet un calculateur pour faire un *bilan carbone* et évaluer les émissions de gaz à effet de serre produits par ton voyage !

Image 4

Max : Un calculateur ?

Léa : <u>Il vaut mieux</u> que tu **sois** un touriste responsable, non ?

Image 5

Max : D'accord ! Calculateur CO_2… Je rentre les informations… Voilà : <u>Il est possible</u> que ce voyage en avion **produise** entre deux et trois tonnes et demie de CO_2 par personne ! « La production de CO_2 que la Terre peut supporter doit être inférieure à 1,8 tonne de CO_2 par personne et par an » !? Oh là là !

Image 6

Léa : <u>C'est important</u> que tu **compenses** toute cette production de gaz à effet de serre en participant à un projet écologique !

Max : Euh… oui, tu as raison, <u>il faut</u> que je **fasse** quelque chose !

2 Regarde et associe à la bonne photo ! De quels documents parle Max ?

1 carte nationale d'identité – **2** carte « enfant-famille » SNCF – **3** passeport – **4** titre de séjour – **5** carte de vaccination – **6** carte électorale

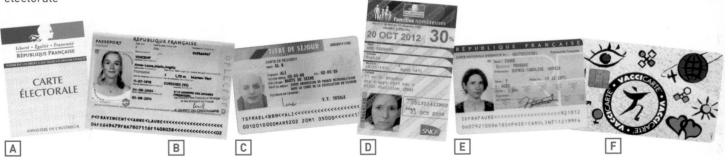

3 📖📑💬 **Le subjonctif présent** → Repère dans le texte page 36 les tournures impersonnelles soulignées : elles sont suivies de quelle conjonction ?

Repère ensuite les verbes en gras : ils sont au subjonctif présent. Fais-en une liste et retrouve l'infinitif de chacun des verbes !

Relève ceux qui n'ont pas la même forme que celle qu'ils auraient au présent de l'indicatif !

> **Le subjonctif présent**
>
> radical 3ᵉ personne du pluriel au présent
> + –e, –es, –e, –ions, –iez, –ent
> 1ʳᵉ et 2ᵉ personnes du pluriel au subjonctif
> = imparfait !
> **Exceptions :** *être, avoir, aller, faire, falloir, pouvoir, savoir, vouloir* (voir page 43)

4 📑📖💬 **Le subjonctif présent** → Complète à l'oral !

1 Il vaut mieux que Max (faire) **...** le bilan carbone de son voyage.

2 Il est possible que ce voyage (produire) **...** entre deux et trois tonnes et demie de CO_2 par personne.

3 Il est nécessaire que nous (savoir) **...** quel impact ont nos voyages sur l'effet de serre et le changement climatique.

4 C'est important que nous (compenser) **...** cet impact en participant à des projets et à des actions.

5 C'est essentiel que nous (avoir) **...** un comportement solidaire.

6 Il faut que vous (être) **...** vous aussi des touristes responsables !

5 🎧💬 **Écoute et repère ! Vrai ou faux ? Tu as deux écoutes !**

6 💬 **Réponds !**

1 En arrivant à l'aéroport, où est-ce qu'un voyageur peut trouver des informations sur son vol ? Au contrôle des passeports ? Au comptoir de la compagnie aérienne ? À la police ? Sur les écrans de télévision dans le hall ?

2 Où est-ce qu'il va confier ses bagages ? Au duty-free ? À la douane ? À l'enregistrement des bagages ?

3 Qu'est-ce qu'on lui remet ? Une carte de vaccination ? Une carte d'embarquement ? Un titre de séjour ?

4 Où est-ce qu'il présente son passeport ou sa carte d'identité ? À l'enregistrement des bagages ? Au contrôle des passeports ?

5 Où est-ce qu'il se présente ensuite pour attendre puis pour rejoindre son avion ? À la porte d'embarquement ? À la douane ?

6 Qui l'accueille dans l'avion ? Les pilotes ? Les hôtesses ? Les stewards ?

Tourisme durable

PROJET : ORGANISER UN VOYAGE

**Tu veux faire un voyage – réel ou imaginaire – dans ta région, dans ton pays ou dans un pays étranger !
(Pourquoi pas en France ou dans un pays francophone ?)**

1 Lis les questions et écris les réponses sur une feuille pour réaliser ta fiche-projet !

■ **Prépare ton voyage !**

1 Tu veux aller où ? **...** Qu'est-ce que tu souhaites voir ou visiter ? **...**

2 Tu vas faire un circuit[1] ? **...** Décris-le ! **...**

3 Combien de temps va durer ton voyage ? **...** Quelle est la date de départ ? **...** La date de retour ? **...**

4 Quel moyen de transport est-ce que tu vas utiliser ? (marche à pied, vélo, train, bus, voiture, avion, bateau, etc.) **...**

5 Quels sont, selon toi, les moyens de transport les plus rapides et les plus pratiques pour les longs trajets ? **...** Quel est leur impact sur l'environnement ? **...**

6 Quels sont, d'après toi, les moyens de transport les mieux adaptés aux courts trajets ou aux circuits autour d'une région ? **...** Quel est leur impact ? **...**

7 À ton avis, quels sont les moyens de transport qui donnent de bonnes occasions d'entrer en contact avec les gens habitant dans la région ou dans le pays ? **...**

Conseil : Pour t'aider à choisir le moyen de transport le plus adapté, va sur des sites Internet qui te permettront de comparer le temps du transport (train, bus, voiture, avion, etc.) et les émissions de CO_2 correspondantes ! (Sites en français : www.co2solidaire.org/fr/calculsCO2 – www2.ademe.fr/eco-deplacements – www.actioncarbone.org)

8 Quelle serait la production de gaz à effet de serre de ton voyage ? **...**

■ **Prépare ton séjour et tes affaires !**

1 Trouve sur Internet ou dans une encyclopédie des informations (histoire, culture, traditions, etc.) sur la région ou le pays que tu souhaites visiter. Note les informations les plus intéressantes ! **...**

2 Si tu vas dans un pays étranger, renseigne-toi sur les coutumes, les comportements et les règles à respecter ! **...**

3 Fais la liste de ce que tu vas emporter dans ta valise ou dans ton sac à dos :
– vêtements (tee-shirts, etc.) **...**
– produits de toilette (shampoing, etc.) **...**
– objets personnels (baladeur, etc.) **...**

4 Est-ce que tous ces vêtements, ces produits ou ces objets sont indispensables ? Quels sont ceux que tu pourrais laisser chez toi ? **...**

5 Est-ce qu'il y a des choses (piles, emballages[2], etc.) que tu devras jeter sur place ? **...** Si oui, ne les emporte pas !

Conseils : Pour polluer le moins possible, n'utilise pas de piles jetables : elles sont très polluantes ! Préfère un shampoing et un savon biodégradables[3] ! Si tu vas à la plage, utilise un lait solaire plutôt qu'une huile (qui ne se dissout pas dans l'eau) !

2 Compare maintenant tes réponses avec celles de ton voisin ou de ta voisine !

3 Présente ton voyage à la classe ! Ton idée pourrait être retenue pour le voyage de classe de fin d'année !

Bon voyage !

---

1. le circuit : *voyage avec plusieurs étapes.* – 2. l'emballage (m.) : *une boîte, un carton, du papier, du plastique, etc. servant à emballer.* – 3. biodégradable : *qui peut être dégradé, décomposé par les bactéries.*

1 📖 💬 **Écoute Max lire la page web qu'il a écrite, puis réponds aux questions !**

| | Accueil | Dossiers | Carnets de voyage | Infos | Livres |

MADAGASCAR

Superficie : 587 040 km²

Capitale : Antananarivo

Villes principales : Antananarivo, Toamasina, Fianarantsoa, Mahajanga, Antsirabe, Toleara

Population : 21 millions d'habitants

Régime politique : république démocratique

Langues officielles : malgache, français et anglais

Malgaches célèbres : Andrianampoinimerina, Radama 1er, Ranavalona 1re (rois et reine) ; Jean Joseph Rabearivelo, Jacques Rabemananjara (poètes) ; Raharimanana, Michèle Rakotoson (écrivains)

L'or vert de Madagascar

Nous avons organisé notre voyage à « Mada » grâce à une agence de tourisme durable et solidaire. Nous avons voyagé <u>différemment</u> et nous avons <u>énormément</u> apprécié ce séjour !

L'île de Madagascar est d'une richesse écologique extraordinaire. Elle abrite des animaux <u>vraiment</u> uniques comme les lémuriens et des plantes à parfum <u>absolument</u> fabuleuses, comme l'ylang-ylang ou la vanille ! Certaines plantes servent à fabriquer des médicaments et on les exporte dans le monde entier. Mais cet « or vert » est <u>gravement</u> menacé : la forêt malgache[1] disparaît très <u>rapidement</u> à cause des cultures sur brûlis[2] et de la production de charbon de bois.

Ylang-ylang

Arbre de ravintsara

Il existe des projets qui permettent de reboiser[3] des sites et de valoriser les plantes à parfum ou les plantes médicinales. Nous avons <u>précisément</u> participé à l'une de ces actions solidaires : les villageois d'Amboaboaka, dans le nord ouest de l'île, nous ont accueillis très <u>gentiment</u> et nous ont proposé de planter avec eux des arbres de *ravintsara* ! C'est un arbre <u>évidemment</u> magique : on fabrique avec ses feuilles une huile essentielle qui guérit beaucoup d'infections et soigne les insomnies !

Après quelques jours de travail, nous sommes allés nous reposer sur la plage d'Andilana. En partant, nous avons promis à nos amis d'Amboaboaka de revenir les voir pour admirer <u>fièrement</u> avec eux la forêt de *ravintsara* que nous avons plantée ensemble !

1 Trouve sur Internet l'histoire des royaumes de Madagascar et en particulier l'histoire du roi Andrianampoinimerina !

2 Cite le nom d'animaux et de plantes typiques de l'île de Madagascar !

3 Que représente « l'or vert » de Madagascar ? Pourquoi est-il menacé ? Comment le protéger ou le valoriser ?

4 Les principes du « tourisme durable et solidaire » c'est : lutter contre le réchauffement climatique – respecter la nature et la culture du pays visité – favoriser son développement économique. Quel est le principe qui te paraît le plus important ? Pourquoi ?

5 Explique en quoi Max a eu une expérience de tourisme durable et solidaire !

2 💬🖊 **Les adverbes en *–ment* → Repère les adverbes soulignés dans le texte !**

1 Associe ces adverbes aux adjectifs : *absolu – différent – énorme – évident – fier – gentil – grave – précis – rapide – vrai*

2 Quels sont les adverbes qui se forment en ajoutant *–ment* à l'adjectif au féminin ?

3 Quels sont les adverbes qui se forment en ajoutant *–ment* à l'adjectif au masculin ?

4 Quels sont les adverbes qui ont une forme plutôt « irrégulière » ? Regarde bien ce qu'on ajoute ou ce qu'on retire à l'adjectif !

---

1. malgache : *de Madagascar* – 2. la culture sur brûlis : *on défriche la végétation par le feu pour améliorer le sol et cultiver le riz* – 3. reboiser : *planter des arbres*

Le fou des marais[1] **de Raharimanana**

Jean-Luc Raharimanana est un écrivain malgache de langue française. Il est né en 1967 à Antananarivo. À l'âge de vingt-deux ans, il part étudier en France, puis devient journaliste et professeur de français. Il est l'auteur de nouvelles, de pièces de théâtre, de poèmes et de romans. Son œuvre s'appuie sur la littérature orale et la mythologie malgaches ainsi que sur ses souvenirs d'enfance.

1. le marais : *terrain couvert d'eau stagnante où poussent des roseaux*
2. la cité : *ensemble de bâtiments où les logements sont peu chers*
3. la banlieue : *communes qui entourent une grande ville*
4. la colline : *petite montagne*
5. la rizière : *terrain où on cultive le riz*
6. incroyable : *extraordinaire*
7. le jonc : *roseau*
8. la libellule : *insecte au corps allongé et aux quatre ailes transparentes*
9. pêcher : *prendre du poisson*
10. la malédiction : *malheur*
11. brusquement : *tout à coup*
12. glacer le sang : *saisir d'une très forte émotion*

J'habitais avec ma famille une cité[2] dans une banlieue[3] à l'est d'Antananarivo. Construite dans les années soixante, elle est située sur le flanc d'une colline[4], tourne le dos à la ville et s'ouvre vers la plaine où s'étalent les rizières[5] et les marais. Au pied de la cité, là où commencent <u>précisément</u> la plaine et les rizières, se trouve le village d'Ambohipo. C'est là qu'à la fin du XVIIIe siècle venait souvent se reposer le
5 roi Andrianampoinimerina. (...) Mais le village était maintenant habité par des gens très pauvres, les maisons étaient toujours de terre et les toits de chaume. Les villageois gagnaient à peine leur vie en vendant des légumes au marché. On reconnaissait leurs enfants à leurs regards inquiets et à la poussière rouge qui collait à leurs vêtements.

L'école où j'allais était juste à côté du village ; seules les rizières la séparaient de lui. Les bords des
10 rizières étaient des lieux de jeux incroyables[6] pour nous. Nous y construisions des radeaux pour naviguer dans la forêt de joncs[7]. Nous y rencontrions des nids d'oiseaux et une variété extraordinaire de libellules[8] ; on pêchait[9] souvent sans rien attraper, nous étions trop impatients ! Il y avait pourtant <u>énormément</u> de poissons, ils sautaient même dans nos radeaux !

Nous n'allions jamais plus loin que le village royal, nous n'osions même pas y mettre les pieds. Des
15 histoires de malédiction[10] hantaient l'endroit. Souvent, dans ces marais, des corps étaient retrouvés flottant sans vie ou au fond des courants. Nous avions toujours la peur au ventre avant de pousser nos radeaux. C'était cette peur que j'aimais. C'était cette peur qui me poussait à construire mes radeaux. (...)

Un soir, j'étais resté seul dans la cour de l'école, quand j'ai vu arriver Radala...

Radala était un fou que nous rencontrions souvent dans les marais. Il était pour nous le cauchemar
20 des marais. Il apparaissait <u>brusquement</u>[11] devant nous et renversait notre radeau, nous mettait la tête sous l'eau et partait dans un éclat de rire qui nous glaçait le sang[12] ; il nous faisait <u>vraiment</u> peur.

13. subitement :
brusquement, tout à coup
14. se mettre à :
commencer à
15. la glaise : *terre lourde,*
pleine d'eau
16. s'enfoncer : *aller vers*
le bas, vers le fond
17. la piste : *chemin*
18. la dune : *colline de*
sable
19. étouffer : *ne pas*
pouvoir respirer
20. tendre les bras :
avancer ou allonger les bras
21. bouleverser :
provoquer une émotion
violente
22. la sandale : *chaussure*
légère

Je n'osais pas bouger. Il ne bougeait pas non plus. Nous sommes restés ainsi je ne sais combien de temps. Puis <u>subitement</u>[13], Radala est parti. Je ne sais pas ce qui m'est arrivé, mais je me suis mis[14] à le suivre. Il est parti vers le jardin qui se trouvait derrière les bâtiments de l'école et a pris une sortie que je
25 n'avais jamais remarquée. La sortie donnait sur les marais. Il s'y est engagé sans hésiter. Je devais courir un peu pour pouvoir le suivre. Il a disparu dans les joncs et j'ai continué à le suivre. Je savais que pas loin de là la glaise[15] était dangereuse, elle pouvait nous avaler en un rien de temps. Mon cœur battait fort mais ma curiosité était telle que je n'ai pas réfléchi.

Je me suis aussi enfoncé[16] dans les joncs. À ma grande surprise, la piste[17] menait vers une petite
30 dune[18] formant une île. À peine y avais-je mis les pieds que je m'enfonçais <u>brutalement</u> dans la glaise. J'étais pris au piège. J'ai paniqué, j'ai crié. Rien n'y a fait. Je suis resté là. J'avais peur de m'enfoncer encore plus, mais <u>apparemment</u>, j'avais atteint le fond. Je commençais à étouffer[19]. Plus je criais, plus j'étouffais. Radala est alors venu. Je lui ai tendu les bras[20], il a pris mes mains avec un tel naturel que j'en ai été bouleversé[21]. Il m'a <u>facilement</u> sorti de là. Je suis resté assis pendant longtemps. Radala était
35 déjà reparti. J'ai enlevé mon short et mon tee-shirt salis par la glaise et je les ai lavés dans l'eau. Au bout d'une demi-heure, ils étaient déjà secs.

En revenant à la maison, mon seul souci était de cacher tout ça à ma mère. Je me suis mis à inventer toute une histoire pour lui expliquer pourquoi je n'avais plus mes sandales[22], car bien sûr, elles étaient restées au fond de la glaise.

40 À partir de ce jour, je n'ai plus hésité à poser des questions autour de moi sur les marais et sur le village d'Ambohipo.

D'après *Le vol de La tempête*, 2008, in *Enfances*

🎧 📝📖 💬 **Écoute et lis ! Puis réponds !**

1 Où est-ce que Jean-Luc Raharimanana est né ? Où est-ce qu'il a passé son enfance ?

2 Il est parti vivre en France en quelle année ? Il y a exercé quels métiers ?

3 Où jouaient le jeune Raharimanana et ses camarades ? Qu'est-ce qu'ils faisaient ?

4 Quel lieu lui paraissait hanté par la malédiction ? Pourquoi ?

5 Qui était Radala ? Est-ce qu'il était méchant ? dangereux ? attentif aux autres ?

6 Pourquoi le jeune Raharimanana l'a suivi ce jour-là ? Et ensuite, qu'est-ce qui s'est passé ?

7 Le jeune Raharimanana est rentré tard à la maison. Il a perdu ses chaussures. Imagine ce qu'il a raconté à sa mère !

8 Repère les adverbes soulignés dans le texte ! Retrouve les adjectifs correspondants et fais-en une liste !

Communication

Tu sais maintenant…

■ **exprimer une obligation :**
Il faut que je fasse quelque chose !
Il est nécessaire que je sache quel impact a mon voyage.

■ **exprimer une possibilité, un projet :**
Il est prévu qu'on aille à Madagascar.

■ **exprimer une opinion :**
C'est important que tu compenses en finançant un projet.

Vocabulaire

Tourisme et aéroport

l'accès (*m.*)	le circuit	le duty-free	la porte d'embarquement
l'aéroport (*m.*)	le comptoir	l'enregistrement (*m.*)	le steward
la carte de vaccination	le contrôle des passeports	l'hôtesse (*f.*)	le terminal
la carte nationale d'identité	la douane	le passeport	le visa

Nature et écologie

le bilan carbone	la culture sur brûlis	l'impact (*m.*)	la poussière
le caméléon	l'effet de serre (*m.*)	le lémurien	la production
le changement climatique	l'émission (*f.*) de gaz	l'or (*m.*)	le radeau
le charbon de bois	l'environnement (*m.*)	le piège	la richesse
le comportement	le fond	la pile (*d'une lampe de poche*)	la tradition
la coutume	l'huile essentielle (*f.*)	la plante médicinale	le villageois / la villageoise

Verbes

apprécier	exporter	polluer	séparer
avaler	hésiter	produire	suivre
comparer	oser	renverser	supporter
compenser	participer à	se reposer	se trouver
évaluer	planter	salir	valoriser

Adjectifs

adapté(e)	impatient(e)	malgache (Madagascar)	responsable
durable	indispensable	prévu(e)	solidaire
écologique	inférieur(e)		unique

Adverbes

absolument	différemment [diferamã]	fièrement	précisément
apparemment [aparamã]	énormément	gentiment	rapidement
brusquement	évidemment [evidamã]	gravement	vraiment

Le subjonctif présent

■ *Formation des verbes réguliers :*
On utilise la conjonction que *et le radical de la 3ᵉ personne du pluriel au présent + les*
terminaisons –e, –es, –e, –ions, –iez, –ent.

acheter	→ achètent	→ que j'achète
écrire	→ écrivent	→ que tu écrives
finir	→ finissent	→ qu'il/elle/on finisse
voir	→ voient	→ qu'ils voient

La 1ʳᵉ et 2ᵉ personnes du pluriel correspondent aux formes de l'imparfait.

acheter	→ que nous achetions
boire	→ que vous buviez
prendre	→ que nous prenions
venir	→ que vous veniez

■ *Verbes irréguliers :*

être : que je sois, que tu sois, qu'il/elle/on soit, que nous soyons, que vous soyez, qu'ils/elles soient

avoir : que j'aie, que tu aies, qu'il/elle/on ait, que nous ayons, que vous ayez, qu'ils/elles aient

aller : que j'aille, que tu ailles, qu'il/elle on aille, que nous allions, que vous alliez, qu'ils/elles aillent

faire : que je fasse, que tu fasses, qu'il/elle/on fasse, que nous fassions, que vous fassiez, qu'ils/elles fassent

il faut (falloir) : qu'il faille

pouvoir : que je puisse, que tu puisses, qu'il/elle/on puisse, que nous puissions, que vous puissiez, qu'ils/elles puissent

savoir : que je sache, que tu saches, qu'il/elle/on sache, que nous sachions, que vous sachiez, qu'ils/elles sachent

vouloir : que je veuille, que tu veuilles, qu'il/elle/on veuille, que nous voulions, que vous vouliez, qu'ils/elles veuillent

■ *Le subjonctif exprime un souhait, une possibilité, une obligation, un sentiment, une opinion,*
etc. Il peut s'employer après des tournures impersonnelles :
Il est / C'est possible que… , prévu que… , nécessaire que… , important que… , essentiel
que… , utile que… , il vaut mieux que… , il faut que…
Il vaut mieux que tu **sois** un touriste responsable, non ?

Les adverbes en *–ment* (suite)

Ils se forment en ajoutant –ment à l'adjectif au féminin.
doux / douce → douce**ment** - long / longue → longue**ment**

Exceptions :
■ *Adjectifs en –ai (vrai), -i (joli), -u (absolu) : Ils se forment en ajoutant –ment à l'adjectif*
*au **masculin** :* vrai**ment**, joli**ment**, absolu**ment**
■ *Adjectifs en –e*nt (différent), –a*nt (méchant) : ils se forment en ajoutant –**e**mment :*
différ**emment** *ou –*amment : méch**amment** ; *sauf* lent → lentement
■ *Autres irrégularités :* énorme → énorm**é**ment - précis → précis**é**ment - profond →
profond**é**ment - gentil → gent**i**ment - grave → gri**è**vement *(ou gravement)*

Madagascar

Lémuriens

Baobabs

Arbre du voyageur

Caméléon

Participe à un « concours d'affiches »
sur Madagascar en utilisant ce type
de photos ou d'illustrations !

Célébrités…

1 Écoute et lis ! Que pensent Joséphine et Félix de la « pipolisation* » ? Et toi, qu'est-ce que tu en penses ? Puis dis ce qu'expriment les verbes soulignés ! À quel mode sont les verbes en gras ?

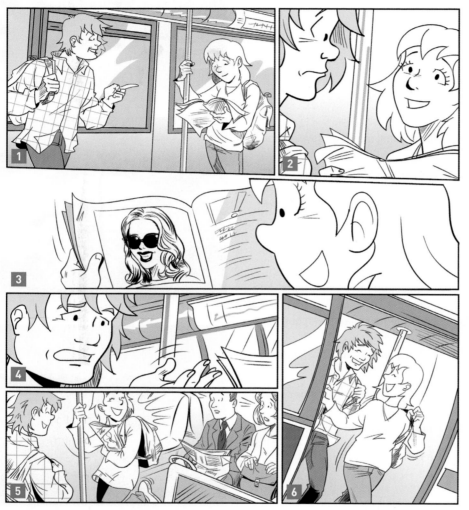

Image 1

Félix : Salut ! Qu'est-ce que tu lis ?

Joséphine : Un magazine people.

Félix : C'est le nom du magazine ?

Image 2

Joséphine : Non ! Un « magazine people », c'est un magazine qui parle de la vie privée des stars, des « VIP ».

Félix : Je trouve bizarre que tu **lises** ça !

Image 3

Joséphine : Pourquoi ? Je découvre les dernières photos de mes stars de cinéma ou de mes vedettes de télévision préférées avec leurs secrets de maquillage ou de relooking. Je lis aussi des indiscrétions sur leur famille, des révélations sur leur lieu de vacances… J'adore ça !

Image 4

Félix : Tu trouves normal que la vie privée des célébrités **soit** connue de tout le monde ? Moi, je n'accepterais pas qu'on **sache** ce que je fais du matin au soir !

Image 5

Joséphine : Eh bien moi, j'aimerais beaucoup qu'on **fasse** un reportage sur moi, sur ma vie et mes amis au collège ! Tu deviendrais célèbre grâce à moi !

Félix : Euh, non merci ! Je préfère que tes fans ne **s'intéressent** pas trop à moi…

Image 6

Joséphine : Dommage ! J'adorerais que tu **deviennes** la nouvelle star dont on rêve !

2 Le subjonctif présent → Regarde l'exemple et complète à l'oral ! Puis écoute le CD pour vérifier tes réponses !

Exemple : Je m'étonne que Joséphine (lire) … ces magazines. → Je m'étonne que Joséphine **lise** ces magazines.

1 Je veux bien que chacun (avoir) … ses stars préférées.

2 Mais je ne comprends pas qu'on (vouloir) … connaître tout de leur vie privée !

3 Je suis surpris qu'on (pouvoir) … ressentir de la fascination pour ce star-système.

4 J'ai peur que des gens qui n'ont pas de talent (être) … trop médiatisés.

5 Et je doute que les vraies vedettes (profiter) … de cette « pipolisation » !

> **Le subjonctif présent** (rappel)
> radical 3ᵉ personne du pluriel au présent
> + –e, –es, –e, –ions, –iez, –ent
> 1ʳᵉ et 2ᵉ personnes du pluriel au subjonctif = imparfait !
> Voir les exceptions page 43 !

*la pipolisation : tendance des médias à dévoiler de plus en plus la vie privée des personnalités du monde du spectacle, de la politique ou du sport ; vient du mot people, prononcé et écrit pipole « à la française ».

3 💬 **Voici des magazines français ! Regarde et réponds aux questions !**

1 Cite le nom d'un hebdomadaire[1] et celui d'un mensuel[2] !

2 Cite le nom d'un magazine culturel et celui d'un périodique féminin !

3 Quel type d'information est à la « une »[3] du quotidien *20 minutes* ?

4 Que découvrirais-tu en lisant le numéro du *Nouvel Observateur* ? Est-ce un magazine sportif ? un magazine d'information ?

5 Où pourrais-tu trouver des informations sur une chanteuse canadienne ? lire un dossier sur les jeunes et la révolution numérique ? voir des photos de femmes élégantes ? découvrir des portraits d'aventuriers ?

6 Est-ce que tu lis dans ton pays un « magazine people », un magazine d'informations, un magazine culturel ou sportif ? Lequel ?

4 💬📖 💬 **Le pronom relatif *dont* → Regarde bien les exemples et transforme les phrases à l'oral !**

Exemples :

1 C'est le magazine ; je t'ai parlé *de ce magazine*. → C'est le magazine **dont** je t'ai parlé.

2 Il y a un article sur une star ; je suis absolument fou *de cette star*. → Il y a un article sur une star **dont** je suis absolument fou.

3 Tu devrais lire cet article ; les photos *de cet article* sont superbes. → Tu devrais lire cet article **dont** les photos sont superbes.

> **Le pronom relatif *dont***
> Il remplace un complément du verbe (1), de l'adjectif (2) ou du nom (3) introduit par *de*

1 Rencontrer cette artiste, c'est un projet ; je rêve *de ce projet* depuis toujours. →

2 Cela serait une rencontre ; je serais tellement heureux *de cette rencontre* ! →

3 C'est une star ; la personnalité *de cette star* est fascinante. →

4 Elle a joué dans des films ; tu te souviens sûrement *de ces films* ? →

5 Elle a un palmarès ; elle doit être fière *de ce palmarès* ! →

6 En plus, c'est une actrice ; la vie *de cette actrice* est un vrai roman. →

---

1. l'hebdomadaire (m.) : *paraît toutes les semaines* – 2. le mensuel : *paraît tous les mois* – 3. la une : *première page d'un journal*

Célébrités…

PROJET : ÉCRIRE UN ARTICLE SUR UNE CÉLÉBRITÉ

Tu veux écrire un article sur une célébrité pour un magazine ! (Cette célébrité peut être vivante ou décédée.)

1 🎲📝 🎲✍ **Lis les questions et écris les réponses sur une feuille pour réaliser ta fiche-projet !**

■ **Choisis une célébrité du monde du spectacle, du sport, de la mode, de la politique, de la littérature, etc.**
1 Choisis-la parce que cette personne est très célèbre ou qu'elle a obtenu un prix, une médaille ou une récompense !
2 Trouve sa photo sur Internet ou dans un magazine !

■ **Rassemble des informations sur cette célébrité !**
Va sur plusieurs sites Internet pour trouver
1 son lieu et sa date de naissance (éventuellement sa date de décès),
2 son pays de résidence,
3 le ou les pays où il ou elle a travaillé ou voyagé,
4 sa situation de famille (marié(e), divorcé(e), célibataire).

■ **Trouve aussi d'autres renseignements, par exemple...**
1 sur sa famille (nom et métier des parents, nombre de frères et sœurs, âge des enfants, etc.),
2 sur son enfance et sur ses études,
3 sur les métiers qu'il ou elle a exercés,
4 sur les prix ou récompenses qu'il ou elle a obtenus et pourquoi.

A — Charles de Gaulle, homme d'État
B — Marion Cotillard, actrice
C — Thierry Henry, footballeur

D — Louis Pasteur, chimiste et biologiste
E — Céline Dion, chanteuse
F — Jean Reno, acteur

■ **Écris un texte de 100-120 mots sur cette célébrité !**
1 Donne des informations sur ses origines, son enfance, ses études !
2 Décris éventuellement son apparence physique (taille, couleur des cheveux et des yeux), son « look » !
3 Décris sa carrière, ses récompenses ou son palmarès !
4 Raconte une histoire drôle ou insolite qui lui serait arrivée !

2 💬🗣 **Lis l'article que tu as écrit d'abord à ton voisin ou à ta voisine, puis lis-le devant la classe !**

3 🗣 **Publie cet article en français sur ton blog ou dans le journal du collège, ou encore dans un magazine de ta ville ou de ta région !**

4 💬 **Écoute et chante la chanson !**

Dans les magazines, sur papier glacé[1],
Voici les histoires des célébrités :
Photos dérobées[2] et révélations
Portraits retouchés[3] et indiscrétions...
Mais on risque un jour d'en avoir assez
De toutes ces histoires sur papier glacé !

1. le papier glacé : *papier satiné ou brillant des magazines* – 2. dérober : *voler* – 3. retoucher une photo : *corriger, transformer une photo*

1 🔊 📖 💬 **Écoute et lis ! Puis réponds aux questions !**

Portraits de trois prix Nobel français

LE PRIX NOBEL

Le prix Nobel est une des plus hautes récompenses internationales.

Alfred Nobel (1833-1896) est un industriel et chimiste suédois et l'inventeur de la dynamite. En 1895, il demande dans son testament qu'on récompense chaque année des personnes qui ont rendu de grands services à l'humanité dans les domaines de la *physique*, de la *chimie*, de la *physiologie* ou de la *médecine*, de la *littérature* et de la *paix* (on ajoutera en 1968 une autre discipline, l'*économie*).

La première cérémonie a lieu le 10 décembre 1901 à Stockholm (en Suède) et le premier prix Nobel de la paix est remis à Henri Dunant, le fondateur de la Croix-Rouge.

Depuis 1901, plus de 800 prix Nobel ont été attribués.

Marie Curie, née Maria Skłodowska, (1867-1934) est une physicienne française d'origine polonaise. À Paris, elle a rencontré Pierre Curie, lui aussi physicien, et l'a épousé en 1895. Avec son mari, elle a obtenu en 1903 le prix Nobel de physique pour ses travaux sur la radioactivité.

En 1911, elle a reçu son deuxième prix Nobel, en chimie, pour ses travaux sur le polonium et le radium. Elle est la seule femme à avoir reçu deux prix Nobel. Elle est aussi la première femme nommée professeur à la Sorbonne, une célèbre université à Paris.

Marie Curie

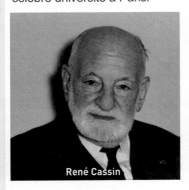
René Cassin

René Cassin (1887-1976) est un juriste, diplomate et homme politique français. Professeur à la Faculté de Droit de Paris, il a quitté la France en 1940 et a rejoint Charles de Gaulle à Londres pour l'aider à la poursuite de la guerre contre l'Allemagne nazie.

En 1948, il a fait adopter la Déclaration universelle des droits de l'homme et a présidé la Cour européenne des droits de l'homme à partir de 1965. Il a créé la télévision sans frontière (*Eurovision*) et a travaillé à la protection des langues régionales et des minorités, mais aussi à l'abolition de la torture et de l'esclavage. Il a reçu le prix Nobel de la paix en 1968.

Jean-Marie Gustave Le Clézio (1940) est un écrivain de langue française. Il a écrit plus de quarante romans, contes et nouvelles. Son œuvre parle de l'île Maurice (un état de l'océan Indien au nord-est de la Réunion) dont sont originaires ses ancêtres ; de la France où il est né ; du Nigéria où, enfant, il est parti rejoindre son père médecin ; du Mexique où il a appris le maya ; du Panama où il a partagé la vie des Indiens au milieu de la jungle. Il a enseigné en Thaïlande, au Mexique, aux États-Unis, en Corée… Jean-Marie Gustave Le Clézio est un écrivain-voyageur passionné par les cultures du monde. Il a obtenu le prix Nobel de littérature en 2008.

J.-M. G. Le Clézio

1 Qui a créé le prix Nobel ? Un physicien ? Un chimiste ? Un médecin ? Un écrivain ? Quel était son but ?

2 Qui a obtenu le premier prix Nobel de la paix ? Pourquoi ?

3 Marie Curie a reçu deux prix Nobel dans quels domaines ? Elle est célèbre aussi pourquoi ?

4 En quoi est-ce que René Cassin, prix Nobel de la paix, *a rendu de grands services à l'humanité* ?

5 D'où viennent les ancêtres de Jean-Marie Gustave Le Clézio ? Il a travaillé et voyagé dans quels pays ?

6 Selon toi, pourquoi est-ce qu'il a obtenu le prix Nobel de littérature ?

2 🔊 📖 💬 **Le pronom relatif *dont* → Relie et transforme les phrases !**

1 Marie Curie est une physicienne ; les travaux *de cette physicienne* ont porté sur la radioactivité.

2 C'est un texte de René Cassin ; tu auras besoin *de ce texte* pour ton exposé sur les droits de l'homme.

3 Jean-Marie Gustave Le Clézio a des origines mauriciennes ; il est fier *de ces origines*.

Célébrités…

Intervention de J.-M. G. Le Clézio au lycée français de Stockholm

En décembre 2008, l'écrivain français **Jean-Marie Gustave Le Clézio** (voir page 47) se trouve à Stockholm, en Suède. Lauréat du prix Nobel de littérature 2008, il prononce le 7 décembre un discours dans la salle de réception de l'Académie suédoise. Avant de recevoir le 10 décembre le prix Nobel des mains du roi de Suède, Carl XVI Gustaf, il est invité le 8 décembre par les élèves du Lycée français de Stockholm et répond à leurs questions...

« Lullaby regardait la mer. Elle ne pensait plus du tout aux rues, aux maisons, aux voitures. La mer est comme cela : elle efface les choses de la terre parce qu'elle est ce qu'il y a de plus important au monde. »
Mondo et autres histoires

UN ÉLÈVE : Qu'avez-vous ressenti quand on vous a annoncé que vous étiez récompensé pour le prix Nobel ? Où étiez-vous ? Que faisiez-vous ?

J.-M. G. LE CLÉZIO : J'étais à Paris. Je revenais d'un assez long voyage. Je me reposais en lisant et en rêvant un peu. Le téléphone a sonné et ma femme m'a dit : « C'est pour toi ! » J'ai pris le téléphone
5 et j'ai entendu une voix qui me disait : « Bonjour ! Je suis de l'Académie de Suède et j'ai à vous annoncer que nous avons décidé de vous donner le prix Nobel de littérature. » Je ne m'y attendais pas du tout. J'ai d'abord ressenti de la surprise et ensuite une sorte d'émerveillement. J'ai aussi eu un sentiment de responsabilité parce que c'est un prix qui est connu dans le monde entier et il faut en être digne. Tout ce que j'ai pu dire au téléphone a été : « Merci ! » (...)

10 UNE ÉLÈVE : Nous avons étudié votre biographie en classe et nous avons remarqué que vous voyagez beaucoup. Est-ce que malgré cela, il y a un lieu où vous vous sentez chez vous et est-ce que cela a une influence sur votre sentiment d'être français ?

J.-M. G. LE CLÉZIO : Je suis né en France, à Nice, par les hasards de la guerre, et j'ai été éduqué dans un lycée français, mais ma famille est originaire de l'île Maurice. Mon père était anglais et ma mère
15 était française. Ils étaient d'une famille qui avait émigré sur l'île au XVIIIᵉ siècle. Alors je considère que j'appartiens autant à la culture mauricienne qui est la culture de ma famille qu'à la culture française qui est la culture que j'ai reçue au lycée. J'ai plusieurs cultures. C'est une grande richesse d'appartenir à plusieurs cultures, cela permet aussi de mieux comprendre le monde et de mieux aller vers les autres. Je peux écrire en anglais ou en français. J'ai appris très tôt à écrire dans les deux langues. Quand j'étais
20 jeune, j'ai même écrit des romans policiers en anglais, mais ils n'ont jamais été publiés... Pour l'espagnol, j'ai appris cette langue beaucoup plus tard en vivant au Mexique. Même quand j'écris en français, il y a des expressions qui me viennent de l'anglais ou des mots qui arrivent plutôt en espagnol. Une langue, on peut y introduire des mots étrangers, ça n'est pas quelque chose d'exclusif. (...)

1. le réel : *la réalité*
2. modifier : *changer*
3. inépuisable : *très grand, sans fin*
4. le canot : *petit bateau, barque*

UN ÉLÈVE : Comment vous est venue l'envie d'écrire ?

J.-M. G. LE CLÉZIO : Au début j'avais envie d'être marin, dans la marine militaire, mais ma vue n'était pas assez bonne et on m'a dit que je n'y arriverais jamais. Le deuxième choix, c'était « écrire », parce que c'est un peu le même métier. On voyage quand on est écrivain. Même si on reste sur place, on voyage en imaginant, en créant des histoires, en décrivant des pays. On quitte ce qu'on connaît, on part à l'aventure, ça c'est bien ! (...)

UN ÉLÈVE : De quoi vous inspirez-vous pour écrire un livre, créer des personnages et décrire des lieux imaginaires ?

J.-M. G. LE CLÉZIO : Je m'inspire du réel[1]. La plupart des personnages que je décris dans mes livres sont des personnages vrais, des personnages qui ont existé. Je les ai un peu modifiés[2] pour qu'ils ne se reconnaissent pas. J'ai changé les noms, mais les conversations, les descriptions, les situations, tout cela provient de la réalité. Je ne sais pas si vous connaissez Marcel Proust, un écrivain français. Il a proposé la formule suivante : « Il n'y a pas d'imagination, il y a seulement de la mémoire. » C'est vrai pour un écrivain, pour un artiste, mais aussi pour n'importe lequel d'entre vous. L'imagination est construite sur la mémoire, sur ce qu'on a vécu, ce qu'on a remarqué, ce que les autres vous ont donné. C'est un trésor inépuisable[3]. Un écrivain c'est une sorte de machine à capter. Ce n'est pas un voleur pour autant, c'est quelqu'un qui transforme la réalité et qui en fait autre chose. (...)

UNE ÉLÈVE : Vous parlez beaucoup de la mer dans vos livres...

J.-M. G. LE CLÉZIO : Oui, j'aime la mer. Elle m'inspire beaucoup. J'ai besoin de me ressourcer en regardant la mer. Je ne voyage pas beaucoup en bateau ; je n'ai pas de bateau moi-même. Je pense que si j'habitais Stockholm, j'aurais un petit canot[4]. J'aimerais bien aller d'île en île. Ce qui est fascinant dans la mer, c'est cette impression d'abstraction que l'on a, comme si on était dans l'espace. Cela porte l'imagination...

D'après l'intervention de J.-M. G. Le Clézio au lycée français de Stockholm, décembre 2008

Écoute et lis ! Puis réponds !

1 Pourquoi est-ce que Jean-Marie Gustave Le Clézio est à Stockholm ?

2 Comment est-ce qu'il a réagi à l'annonce de son prix Nobel de littérature ?

3 À quelles cultures est-ce qu'il appartient ? Qu'est-ce que cela lui permet de faire ? Explique !

4 Quelles langues est-ce qu'il a apprises ? Comment ?

5 Pourquoi est-ce qu'il compare le métier de marin et celui d'écrivain ?

6 J.-M. G. Le Clézio cite un écrivain français, Marcel Proust : « Il n'y a pas d'imagination, il y a seulement de la mémoire. » Que signifie cette phrase, selon toi ?

7 Comment est-ce qu'il crée les personnages, les lieux et les situations qui apparaissent dans ses romans ?

8 Quelle est sa grande source d'inspiration ? Pourquoi ?

« *Est-ce que je vois vraiment la mer, est-ce que je l'entends ? La mer est à l'intérieur de ma tête, et c'est en fermant les yeux que je la vois et l'entends le mieux.* » *Le chercheur d'or*

Communication

Tu sais maintenant…

■ **exprimer une volonté, un souhait :**
J'aimerais beaucoup qu'on fasse un reportage sur moi !

■ **exprimer un consentement, un doute ou un refus :**
Je n'accepterais pas qu'on sache ce que je fais du matin au soir ! – Je doute que les vraies vedettes profitent de cette « pipolisation » !

■ **exprimer une émotion, une appréciation, un sentiment :**
Je suis surpris qu'on puisse ressentir de la fascination pour ce star-système.

■ **exprimer le fait d'apprécier quelque chose ou quelqu'un :**
C'est une star dont je suis absolument fou.

■ **exprimer ta déception :**
Dommage !

Vocabulaire

Médias, célébrité et récompenses

l'ancêtre (m.)	l'hebdomadaire (m.)	la mémoire	la récompense
la célébrité	l'imagination (f.)	l'origine (f.)	la responsabilité
la cérémonie	l'indiscrétion (f.)	le palmarès	la révélation
l'émerveillement (m.)	le magazine	le périodique	la richesse (U5)
la fascination	la médaille	le quotidien	le testament

Études, métiers et droits de l'homme

l'abolition (f.)	l'écrivain (m.)	le (la) juriste	la politique
le (la) chimiste	l'esclavage (m.)	la littérature	la torture
le (la) diplomate	l'humanité (f.)	le marin	l'université (f.)
l'économie (f.)	l'inventeur (m.)	le physicien / la physicienne	la vue

Pays

la Corée	l'île (f.) Maurice	le Nigéria	la Suède
les États-Unis (m. pl.)	le Mexique	le Panama	la Thaïlande

Verbes

accepter	éduquer	étudier (U3)	récompenser
annoncer (U3)	émigrer	présider	refuser
appartenir à	enseigner	profiter	rejoindre
décider	épouser	publier (U1)	remettre
douter	s'étonner	quitter	ressentir

Adjectifs

digne	originaire de	polonais(e)	suédois(e)
nommé(e)	passionné(e)	privé(e)	vrai(e)

Le subjonctif présent (suite)

■ *Le subjonctif s'emploie avec des verbes qui expriment une volonté, un souhait :*
j'aimerais que..., j'ai envie que..., je demande que..., je préfère que..., je souhaite que...,
je veux (voudrais) que..., etc.
J'aimerais beaucoup qu'on **fasse** un reportage sur moi !

■ *Le subjonctif s'emploie aussi avec des verbes qui expriment un consentement, un doute
ou un refus :*
j'accepte que..., je comprends que..., je doute que..., je propose que..., je refuse que...,
je veux bien que..., etc.
Je veux bien que chacun **ait** ses stars préférées.

■ *Le subjonctif s'emploie également avec des verbes et dans des locutions qui expriment
une émotion, une appréciation, un sentiment :*
j'adore que..., j'aime que..., j'ai peur que..., je déteste que..., je m'étonne que..., etc.
je suis content / fâché / fier / surpris / triste... que, etc.
je trouve amusant / bizarre / intéressant / normal / pénible / terrible que..., etc.
Je trouve bizarre que tu **lises** ça !

Le pronom relatif *dont*

Complément d'un verbe (introduit par de) :
C'est le magazine **dont** je t'ai parlé. (Je t'ai parlé **de** ce magazine.)

Complément d'un adjectif (introduit par de) :
Il y a un article sur une star **dont** je suis absolument fou. (Je suis absolument fou **de**
cette star.)

Complément d'un nom :
Tu devrais lire cet article **dont** les photos sont superbes. (Les photos **de** cet article sont
superbes.)

Stratégies

Pour mieux écrire un texte...

■ Fais d'abord un plan de ton texte : Comment commencer ? Qu'écrire
ensuite ? Comment terminer ?

■ Fais ensuite une liste des mots et des expressions que tu comptes
utiliser pour chaque partie de ton texte.

■ Choisis le ou les temps que tu vas employer : pour raconter la
biographie de quelqu'un, le passé composé et l'imparfait (et le plus-
que-parfait) peuvent être utiles.

■ Utilise des connecteurs de temps (*d'abord, ensuite, puis, après,
enfin*) ou des connecteurs logiques (*donc, alors, ainsi, pourtant*).

■ À la fin, vérifie bien
1 l'orthographe des mots,
2 la place et l'accord des adjectifs,
3 la terminaison des verbes,
4 l'utilisation de *être* ou *avoir* au passé composé ou au plus-que-
parfait,
5 la forme et l'accord des participes passés !

**Des personnalités célèbres
appréciées des Français**

Yannick Noah, chanteur et joueur de tennis

Mimie Mathy, comédienne

Zinédine Zidane, footballeur

Laetitia Casta, mannequin et actrice

**Trouve dans des magazines
ou sur Internet d'autres photos de
personnalités françaises ou francophones
célèbres et présente-les !**
(Voir par exemple le site
www.stars-celebrites.com)

On révise et on s'entraîne pour le DELF B1 !

Nom : .... Prénom : ....

Compréhension de l'oral (25 points)

[1] Écoute ces annonces de l'aéroport de Paris-Roissy et complète le tableau ! Tu as deux écoutes !

Destination	Porte	Terminal	Destination	Porte	Terminal
		2B		46	
	78				3
Mexico			Antananarivo		

[2] Écoute ce reportage sur France Inter et coche les bonnes réponses ! Lis d'abord les phrases ! Tu as deux écoutes !

1 La cantine du collège René Cassin est gaie et agréable. ☐

2 Le chef cuisinier travaille au collège depuis 10 ans. ☐

3 La *Semaine du goût* permet de faire tester des saveurs et des recettes nouvelles. ☐

4 Les élèves ont goûté du pain bio. ☐

5 Les élèves ont aussi testé un menu « spécial Italie ». ☐

6 Mais les élèves ne changent pas leurs habitudes. ☐

7 Au lieu d'aller à la cantine, ils vont dans un self-service ou dans un fast-food. ☐

8 Les collégiens apprécient de se sentir responsables. ☐

[3] Écoute cette interview de Cyril Lignac, un jeune cuisinier français célèbre ! Puis coche les cases « vrai » (V), « faux » (F) ou « on ne sait pas » (?) ! Lis d'abord les phrases ! Tu as deux écoutes !

	V	F	?
1 Cyril Lignac est devenu cuisinier par hasard.	☐	☐	☐
2 C'était un bon élève.	☐	☐	☐
3 Il a ouvert une école de restauration.	☐	☐	☐
4 Il anime une émission de télévision.	☐	☐	☐

	V	F	?
5 Il passe 7 heures au studio de télévision.	☐	☐	☐
6 Le secret de sa cuisine c'est le plaisir.	☐	☐	☐
7 Mais, selon lui, il faut des produits chers.	☐	☐	☐
8 Cyril Lignac aime cuisiner pour sa famille.	☐	☐	☐

Compréhension des écrits (25 points)

[1] Lis cette présentation du *Lemurs' Park* de Madagascar ! Puis complète les phrases !

Le Lemurs' Park

Notre parc se trouve près d'Antananarivo à Madagascar. Vous pourrez y observer les animaux les plus célèbres de l'île, les lémuriens. Ils proviennent de toutes les régions de notre pays. Les lémuriens seraient les lointains cousins des singes. À la différence de l'Afrique où ils ont disparu face à la compétition avec les autres primates, ceux de Madagascar ont pu évoluer sans problème sur cette grande île éloignée. On pense que les premiers lémuriens sont arrivés à Madagascar sur des troncs flottants, à la suite de catastrophes naturelles. De nos jours, face à la déforestation intensive, la plupart des lémuriens sont en voie de disparition et ils sont très difficiles à observer en milieu naturel.

Lemurs' Park vous donne l'occasion unique de rencontrer ces animaux rares et fantastiques. Tout a été pensé pour préserver leur tranquillité tout en rendant votre visite riche en découvertes. Le sentier qui traverse le parc offre de nombreux points de vue et vous permet d'observer les lémuriens dans une végétation étonnante. Ce sentier remonte ensuite le lit de la rivière jusqu'à un vivarium à ciel ouvert ou vous pourrez voir de nombreux caméléons, des tortues, des iguanes et des lézards. La visite se fera sans fatigue et sans risque et vous pourrez approcher – à distance raisonnable – une faune unique au monde dans un environnement qui marquera votre mémoire !

Le *Lemurs' Park* est un parc qui abrite des **(1)**........................., mais aussi des **(2)**......................... ou des **(3)**.........................
Les lémuriens seraient proches des **(4)**......................... et ils seraient venus d' **(5)**......................... Ils vont malheureusement
(6)......................... à cause de la **(7)**......................... . Le parc permet encore de les observer dans leur milieu **(8)**
.... La visite n'est pas **(9)**.........................et elle permet de découvrir des paysages **(10)**.........................
d'arbres et de plantes **(11)**.........................!

2 📖✍ **Lis la biographie d'Henri Dunant ! Puis écris vrai (V) ou faux (F) et <u>justifie ta réponse</u> !**

Henri Dunant est né à Genève en 1828 et il est mort en 1910 à Heiden (Suisse). Son père et sa mère s'étaient tous les deux engagés dans l'action sociale. Cet engagement a certainement eu une influence sur son éducation. Jeune homme, il passe beaucoup de son temps à visiter les prisonniers et à aider les pauvres.

En 1859, il se rend à Solférino, en Lombardie (Italie). La France y combat aux côtés des Piémontais contre les Autrichiens. Quand il arrive, environ 38 000 blessés et morts se trouvent sur le champ de bataille et personne ne leur prête assistance. Cette situation le bouleverse. Il organise avec des volontaires (les femmes de la localité) la prise en charge des soldats blessés et des malades. Il met en place des hôpitaux dans lesquels on ne fait pas de différence entre les soldats français et autrichiens : ils sont « tous frères », selon une expression devenue célèbre. Malgré cette aide, beaucoup de blessés meurent.

Trois ans plus tard, toujours sous le choc, Henri Dunant écrit le récit de ces événements et voyage dans toute l'Europe : il propose qu'en cas de guerre des organisations humanitaires neutres soignent les blessés et que les prisonniers soient correctement traités. Le *Comité international de la Croix-Rouge* est créé en 1863. Son emblème, une croix rouge sur fond blanc, correspond au drapeau suisse inversé. Henri Dunant reçoit le premier prix Nobel de la paix en 1901.

1 Dans sa jeunesse, Henri Dunant ne s'était jamais engagé dans l'action sociale.

2 En arrivant à Solférino en 1859, il est plongé dans l'horreur d'une bataille où les blessés ne reçoivent aucun secours.

3 Grâce à lui, les femmes de la localité acceptent de soigner tous les blessés, même si certains sont des « ennemis ».

4 En 1862, il écrit un livre sur la bataille de Solférino et les drames dont il a été le témoin.

5 Puis il voyage dans le monde entier et propose la création d'une organisation d'anciens prisonniers de guerre.

6 L'emblème de la Croix-Rouge est le drapeau suisse, une croix blanche sur fond rouge.

7 En 1901, il est le premier à recevoir le prix qu'un industriel et chimiste suédois a créé en faveur de la paix.

Production écrite (25 points)

1 📖✍ **Relis le texte sur le *Lemurs' Park* et écris les dix règles du touriste respectueux de la nature ! (100 mots)**

Respecter le silence … Ne pas effrayer les animaux en (+ *gérondif*) … Ne pas les attirer en (+ *gérondif*) … Ne pas cueillir … Ne pas marcher …

2 📖✍ **Lis cette information et écris un petit article qui explique qui recevrait le « Prix de la gentillesse » dans ton pays et pourquoi ! (80 mots)**

À l'occasion de la *Journée de la gentillesse*, un sondage a demandé aux Français quelle personnalité représentait le mieux la gentillesse. Avec 29 % des suffrages, c'est la comédienne Mimi Mathy qui est la gagnante du sondage, essentiellement pour la confiance qu'elle inspire et pour son engagement contre la pauvreté et pour les « Restos du Cœur* ».

Production et interaction orales (25 points)

1 💬 **Tu as décidé de faire un voyage (imaginaire) ! Explique où tu veux aller, quel(s) moyen(s) de transport tu vas utiliser et combien de temps tu vas partir ! Parle de tes préparatifs !**

J'ai décidé de partir au / en … Il est prévu que … Il faut que … C'est important que … Il vaut mieux que …

2 💬 **Tu es un fan des « magazines people » et quand tu surfes sur Internet, tu adores découvrir des anecdotes sur tes stars préférées ! Tu expliques à ton professeur les raisons de cet intérêt, mais il (elle) essaie de te convaincre de t'intéresser à autre chose qu'aux « VIP » !**

Ce que j'aime dans les « magazines people » ou les « sites people », c'est découvrir … – Mais il y a des choses plus intéressantes que …

---

*les Restos du Cœur : association d'aide aux personnes démunies (accès à des repas gratuits) fondée par l'humoriste et comédien Coluche en 1985

Musique !

1 🎧📖💬 **Écoute et lis ! Où vont les amis ? De quels instruments jouent-ils ? Repère ensuite dans le texte les phrases soulignées : ce sont des questions avec inversion du verbe et du sujet. Fais-en une liste !**

Image 1

Léa : On s'est tous donné rendez-vous à six heures pour aller à l'atelier de percussions*. Agathe <u>sera-t-elle</u> à l'heure ?

Théo : **Pourvu qu'elle arrive vite !** J'aimerais bien m'entrainer **avant que tout le monde soit** là.

Image 2

Seydou : Bonjour ! <u>Comment allez-vous</u> ?

Léa, Max, Théo : Salut Seydou !

Max : Hé, <u>qu'y a-t-il</u> dans ce grand sac ?

Seydou : C'est mon djembé. C'est un tambour africain. Et toi, <u>que vas-tu montrer</u> à l'atelier ?

Image 3

Théo : Une darbouka, un tambour arabe.

Seydou : <u>Comment en joue-t-on</u> ?

Théo : On joue de la darbouka debout : on la place sous le bras ou sur l'épaule. Mais on peut en jouer assis **pour que cela soit** plus confortable.

Image 4

Seydou : Je pourrai essayer ?

Théo : D'accord, mais **à condition que je puisse** aussi jouer du djembé !

Image 5

Seydou : Agathe ! <u>Peut-on voir</u> de quel instrument tu vas jouer ?

Agathe : Oui, bien sûr... **bien que je sois** très en retard !

Image 6

Agathe : **Sans que vous le sachiez,** je m'entraine depuis des mois !

Tous : Waou ! Super !

2 📖✏️ **La question avec inversion du verbe et du sujet → Regarde les exemples et transforme les questions à l'écrit !**

Exemples : **a)** Comment tu vas ? → Comment vas-tu ?

b) Est-ce que Théo est déjà là ? → Théo est-il déjà là ?

c) Qu'est-ce qu'il y <u>a</u> ? → Qu'y <u>a</u>-t-il ?

d) Tu vas montrer quoi ? → Que vas-tu montrer ?

1 À quelle heure nous avons rendez-vous ? →

2 Pourquoi Agathe arrive toujours en retard ? →

3 Comment on joue de la *darbouka* ? →

4 Est-ce qu'on peut en jouer assis ? →

5 Quand est-ce que Théo a commencé à jouer de cet instrument ? →

> **La question avec inversion**
> **a)** verbe + - + pronom
> **b)** nom (commun ou propre) + verbe + - + il(s) / elle(s)
> pas de *est-ce que* !
> **c)** verbe avec voyelle à la fin + **-t-** + *il / elle / on*
> **d)** verbe + - + pronom + infinitif ou participe passé

* *l'atelier de percussions : groupe de travail où on peut s'entraîner à jouer d'un ou de plusieurs instruments de musique à percussion, comme le tambour*

3 📖🖎 📖💬 **Le subjonctif présent** → Regarde dans le texte page 54 les phrases subordonnées en gras : elles sont au subjonctif présent. Repère les locutions conjonctives qui les introduisent et associe chacune à ce qu'elle exprime !

Exemple : la manière : *sans que*

1 l'antériorité : **...**

2 le souhait : **...**

3 la condition : **...**

4 le but : **...**

5 la concession* : **...**

4 🖎📖 📖💬 **Complète à l'oral à l'aide des locutions conjonctives repérées dans l'activité 3 !**

Seydou continue à parler de l'atelier de percussions :

1 On va à l'atelier de percussions à vélo avec nos instruments : **...** il ne pleuve pas !

2 J'ai mis mon *djembé* dans un sac **...** il soit bien protégé.

3 Je vais bien sûr le prêter à Théo, mais **...** il me laisse jouer de la *darbouka*.

4 En arrivant à l'atelier, Théo et moi nous nous entrainerons **...** le cours commence.

5 **...** elle arrive toujours en retard, Agathe est quelqu'un de très sympa ; elle est aussi très douée pour la musique.

6 Elle s'est entrainée à jouer du tambourin pendant des mois **...** on le sache !

5 🎧 🖎📖 📖💬 **Écoute et associe avec le bon instrument ! Tu as deux écoutes !**

A un accordéon
B une batterie
C une clarinette
D une flûte
E une guitare
F une harpe
G des maracas
H un piano
I un saxophone
J un violon
K un violoncelle
L un tambour
M un tambourin
N une trompette

6 🖎📖 📖💬 **Réponds !**

1 Regroupe les noms des instruments de musique par catégorie : **instruments à vent, instruments à cordes, instruments à percussion !**

2 Quels sont les instruments qui sont traditionnellement ou très souvent joués dans ton pays ? **...**

3 Un musicien ou une musicienne qui joue du piano est **un(e) pianiste** et celui ou celle qui joue de la clarinette est **un(e) clarinettiste**. Comment s'appelle quelqu'un qui joue de l'accordéon ? **...** quelqu'un qui joue de la flûte ? **...** de la guitare ? **...** de la harpe ? **...** du saxophone ? **...** du violon ? **...** du violoncelle ? **...** de la trompette ? **...**

4 Choisis un des instruments de musique ! Trouve sur internet ou dans une encyclopédie des informations sur cet instrument et raconte son histoire !

---

* la concession : *opposition, restriction*

Musique !

PROJET : ÉCRIRE UNE CHANSON

1 Lis les questions et écris les réponses sur une feuille pour réaliser ta fiche-projet !

1 Quel genre de musique écoutes-tu ? de la musique folk ? de la musique pop ? du hip-hop ? du rap ? de la musique électronique ? du R'n'B ? du reggae ? du rock ? des musiques du monde (World Music) ? du jazz ? des chansons de variété ? de la musique classique ? autre : ...

2 Quel(s) est (sont) ton (tes) chanteur(s) ou ta (tes) chanteuse(s) préféré(e)s ? ...

3 Quel(s) est (sont) ton (tes) groupe(s) préféré(s) ? ...

4 Écoutes-tu la musique que tu aimes à la radio ? sur des CD ? sur des listes de lecture (playlists) compilées sur un ordinateur ou un baladeur ? sur des sites vidéo ou des sites d'écoute musicale ? autre : ...

5 Fais-tu écouter la musique que tu aimes à tes parents, ta famille ? tes voisins ? tes copains et copines de collège ? autre : ...

6 As-tu déjà créé une bande-son (un enregistrement sonore) pour illustrer un spectacle, une présentation Powerpoint ou une vidéo ? ...

7 Joues-tu d'un instrument de musique ? Si oui, Lequel ? ...

8 As-tu déjà composé un ou des morceaux de musique ? ...

9 Aimes-tu chanter ? ...

10 Es-tu dans une chorale, un orchestre, un groupe ? ...

11 As-tu déjà écrit une ou des chansons ? ...

12 As-tu chanté ou voudrais-tu chanter devant un public ? ...

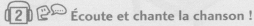

2 Écoute et chante la chanson !

Pour que tu danses, pour que tu ries,
Je vais te jouer de la batterie !

Pour que ta vie soit bien plus belle,
Je t'accompagne au violoncelle !

Pour que tu oublies ton cafard,
Voici des accords de guitare !

Pour que tu me dises « bravo »,
Je t'offre quelques notes au piano !

3 Écris maintenant le texte de ta chanson !

■ **Facile : Tu prends le modèle de la chanson de l'activité 2 ! Tu gardes le premier vers de chaque strophe et tu inventes le deuxième vers. Exemple :** *Pour que tu danses, pour que tu ries, je vais t'emmener à Paris !* Le dernier mot du 2e vers doit rimer avec le dernier mot du 1er vers ! Pour *ries : Paris, magie, colibri, paradis,* par exemple... Pour *belle : fidèle, caramel, ombrelle, ritournelle...* Pour *cafard : gare, fanfare, regard, hasard...* Pour *bravo : cadeau, bateau, métro, rigolo...*

■ **Moins facile : Tu prends le modèle de la chanson de l'activité 2, mais tu gardes le deuxième vers de chaque strophe et tu inventes le premier en commençant par** *Pour que* **(+ verbe au subjonctif) ! Exemple :** *Pour que tu reçoives un cadeau, je t'offre quelques notes au piano !*

Attention ! Compte le nombre de syllabes (ou « pieds ») dans chaque vers : il doit y en avoir huit !

4 Propose le texte de ta chanson à la classe !

Entraine-toi d'abord à lire le texte, puis à le chanter sur la mélodie. Participe ensuite à un concours de chansons dans ta classe !

1  Écoute et lis !

| Accueil | **Dossiers** | Infos | Carnets de voyage | Livres |

LE LIBAN

Superficie : 10 452 km²

Capitale : Beyrouth

Villes principales : Beyrouth, Tripoli, Jounieh, Saïda, Tyr, Baalbek, Nabatieh, Zahlé, etc.

Population : 4,5 millions d'habitants

Régime politique : république parlementaire

Langue officielle : arabe

Langues étrangères privilégiées : français, anglais

Libanais célèbres : Khalil Gibran (poète), Andrée Chedid, Amin Maalouf (écrivains), Fayrouz, Shakira, Mika (chanteurs), Ziad Rahbani (musicien et acteur), Nidal al Achkar (actrice), etc.

La musique au Liban

Le chant traditionnel libanais aurait comme origine les chants des bergers dans les montagnes ou les mélodies nostalgiques chantées par les travailleurs des ports de la côte.

Cette tradition musicale est toujours vivante grâce à certains artistes dont la célèbre Fayrouz, la « voix du Liban ». Née en 1935 dans un village de la montagne libanaise sous le nom de Nohad Haddad, elle se marie en 1954 avec Assi Rahbani qui forme avec son frère Mansour et deux autres musiciens un groupe bien connu au Liban.

Fayrouz

Fayrouz exprime son talent dans des genres très variés : elle interprète[1] des œuvres classiques mais elle chante aussi des opérettes[2] ou des chansons modernes.

Le fils de Fayrouz, Ziad Rahbani, également musicien, est né en 1956. Il a révolutionné[3] la musique libanaise en rapprochant la musique traditionnelle du jazz moderne. Les instruments utilisés pour ses arrangements sont l'accordéon, le violon et le piano mais aussi des instruments arabes traditionnels : l'*oud*, le *nay*, la *darbouka* et le *riqq*.

un oud

L'*oud* est un instrument à cordes très répandu dans les pays arabes ; on l'appelle aussi le *luth oriental*. C'est d'ailleurs le mot arabe *al-oud* qui a donné le mot *luth*. Le *nay* est une flûte de roseau[4] à six ou sept trous. La *darbouka* est un tambour en terre cuite, en céramique ou en métal, couvert d'une peau de chèvre ou de poisson. Le *riqq* est un tambourin. Joué avec les deux mains, c'est lui qui donne le rythme de base.

un riqq

2  Vrai ou faux ?

1 La superficie du Liban peut être comparée à celle du Maroc ou de l'Égypte.

2 Au Liban, les bergers et les travailleurs des ports de la côte ont toujours chanté des chansons ou des mélodies nostalgiques.

3 La chanteuse libanaise Fayrouz perpétue[5] dans ses chansons cette tradition musicale libanaise.

4 Mais elle chante seulement des œuvres classiques.

5 Son mari et son fils sont tous les deux des musiciens très célèbres ; son fils est aussi acteur.

6 L'orchestre qui accompagne Fayrouz utilise des instruments comme le saxophone ou la trompette.

7 Parmi les instruments arabes traditionnels, il y a la *darbouka* et l'*oud*.

8 L'*oud* est un instrument à percussion, le *nay* est un instrument à cordes et le *riqq* est un instrument à vent.

1. interpréter : *jouer, chanter* – 2. l'opérette (f.): *pièce de théâtre gaie, chantée, parlée et accompagnée de musique* – 3. révolutionner : *transformer profondément* – 4. le roseau : *plante aquatique de haute taille* – 5. perpétuer : *continuer*

Musique !

L'artiste de Andrée Chedid

Andrée Chedid est née en 1920 au Caire, en Égypte, de parents libanais. Entre 14 et 18 ans, elle est pensionnaire dans un lycée à Paris, puis elle fait des études de journalisme au Caire. Elle part vivre au Liban en 1943 et s'installe à Paris en 1946. Outre des poèmes, son œuvre comprend des essais, des pièces de théâtre, des récits et des romans ; elle a reçu de nombreux prix.

Mère du chanteur Louis Chedid et de Michèle Chedid-Koltz, peintre, elle est aussi la grand-mère du chanteur et guitariste Matthieu Chedid, connu sous le pseudonyme de -M- : elle écrit pour lui certaines de ses chansons (comme *Je dis aime*).

1. le piano droit

2. le piano à queue

3. le clavier

4. la ronde

5. la blanche

6. la noire

7. la croche

8. le soupir

9. le don : *génie, talent*

10. le conservatoire : *école de musique*

Je suis assis devant un piano, rien d'autre ne compte. Je ne sais rien dire, rien décrire de ce qui m'entoure. Ni la marque de l'instrument (un Steinway, un Pleyel, un Gaveau ?), ni s'il est droit[1], ni s'il est à queue[2]. Je ne peux pas décrire non plus la chambre où je me trouve, ni dater la saison, le jour ni l'heure. Suis-je seul ? Y a-t-il autour de moi des personnes qui m'écoutent ?

5   Je n'en sais rien. Je ne veux rien savoir. Je suis simplement *là* ; avec mes mains. Dans mes mains. Je ne vois qu'elles ; glissant, aériennes sur le clavier[3]. Je n'entends que cette musique qu'elles soulèvent, qu'elles attirent hors du piano, et qui m'envahit. (...)

  Quelque chose au fond de moi, chante ; je suis dans le bonheur. J'improvise. J'improvise ! Aucun doute, ce sont bien mes mains que je vois. La souplesse de mes doigts, de mes poignets, la rapidité de 10 mes mains m'émerveillent. Acrobatiques, inventives, tantôt nerveuses, tantôt tranquilles, je ne peux en détacher les yeux.

  Ma virtuosité est sans limites. Je m'interprète sur tous les rythmes ; en rondes[4], en blanches[5], en noires[6], en croches[7], en crescendos et en soupirs[8]... Une fête ! Simple, naturelle, facile.

  Si facile qu'au matin je déclare à Germaine, ma femme, que je m'en vais, tout de suite, acheter un 15 piano.

  — Te mettre au piano à ton âge, tu n'y penses pas, Albert !

  — J'ai un don[9].

  Elle n'a pas voulu m'entendre.

  — C'est aujourd'hui que tu t'en aperçois ? ... Tu n'as rien d'un artiste. Rien.

20   Il me restait à faire mes preuves. J'ai décidé de louer, toute une journée, un studio de musique au conservatoire[10] le plus proche.

11. le tabouret
12. l'abattant (m.)
13. la touche

14. inouï : *extraordinaire*
15. le tapage : *bruit violent*

J'ai pris place devant l'instrument – cette fois, c'était un piano signé Érard – et j'ai monté mon tabouret[11] à la bonne hauteur.

J'ai lentement soulevé l'abattant[12]. J'ai découvert avec émotion des touches[13] jaunies, d'autres plus grises que noires : elles avaient été caressées, parcourues par des milliers de mains avant les miennes.

L'inspiration se rapprochait ; je le sentais à un frémissement heureux qui courait le long de mes veines. J'ai étendu mes mains, bien ouvertes, à quelques centimètres au-dessus du clavier. Retenant ma respiration, j'ai attendu, en toute confiance. J'ai attendu. Encore et encore. Mais rien ne s'est passé. Rien.

Pris de fureur et de désespoir, je me suis mis subitement à frapper le clavier et à plaquer des accords désorganisés. Dans l'espoir de retrouver ce don inouï[14], cette improvisation souple et facile ; dans la certitude que je ferais bientôt naître ces rythmes, ces harmonies cachés au fond de mon être, je frappais furieusement les touches.

Cela a fait un bruit horrible !

Le directeur du conservatoire a ouvert brusquement la porte et m'a demandé d'arrêter mes exercices. Avec ce tapage[15] infernal, on ne pouvait plus s'entendre dans le couloir, ni dans les autres studios. (…)

D'après *L'artiste*, Andrée Chedid, 1988

Écoute et lis ! Puis réponds !

1 Dans quel pays est née Andrée Chédid ? Où est-elle allée au lycée ? Où a-t-elle fait ses études ? Où s'est-elle installée ?

2 Que représente le Liban pour elle ?

3 La musique est-elle importante dans sa famille ? Explique !

4 Andrée Chedid a-t-elle écrit des chansons ? Si oui, pour qui ?

5 Relève les mots et les phrases du texte qui montreraient qu'Albert est un artiste !

6 Relève les mots et les phrases du texte qui montreraient au contraire qu'il n'a aucun talent !

7 Le présent et le passé (passé composé et imparfait) sont utilisés dans ce texte. Dans quelle partie du texte le présent est-il utilisé et dans quelle partie du texte le passé apparait-il ? Cela correspond à quoi, selon toi ?

8 Albert est-il un véritable artiste dont le talent n'est pas reconnu par sa femme et par le directeur du conservatoire ? Comment comprends-tu ce récit ?

Communication

Tu sais maintenant…

■ **exprimer l'antériorité :**
J'aimerais m'entrainer avant que tout le monde soit là.

■ **exprimer la concession :**
Bien qu'elle arrive toujours en retard, elle est très sympa.

■ **exprimer la condition :**
À condition que je puisse aussi jouer du *djembé*.

■ **exprimer le but :**
On peut en jouer assis pour que cela soit plus confortable.

■ **exprimer le souhait :**
Pourvu qu'elle arrive vite !

■ **exprimer la manière :**
Je me suis entrainée sans que vous le sachiez.

Vocabulaire

Musique et instruments

l'accordéon (*m.*)	la flûte	le morceau (de musique)	le tambour
la batterie	la guitare	l'orchestre (*m.*)	le tambourin
la chorale	la harpe	la percussion	la trompette
la clarinette	l'instrument (*m.*)	le piano	le violon
la corde	les maracas (*m. pl.*)	le saxophone	le violoncelle

Qualités et sentiments

l'atelier (*m.*)	la certitude	le frémissement	la rapidité
le bonheur	le désespoir	la fureur	la souplesse
le cafard	l'émotion	l'inspiration	la virtuosité

Verbes

accompagner	se donner rendez-vous	faire ses preuves	s'installer
composer	émerveiller	frapper (U4)	jouer de (instrument)
créer (U1)	envahir	illustrer	placer
décrire	exprimer	improviser	soulever

Adjectifs et adverbe

africain(e) (l'Afrique *f.*)	confortable	effroyable	simple (U3)
arabe	debout	libanais(e) (le Liban)	souple
assis(e)	doué(e)	nostalgique	traditionnel(le)

Locutions

avant que	à condition que	à l'heure	pourvu que
bien que	au fond de	pour que	sans que

Le subjonctif présent (suite)

■ *Le subjonctif s'emploie avec des locutions conjonctives comme* avant que, bien que, à condition que, pour que, pourvu que, sans que :
avant que *exprime l'antériorité ;*
bien que *exprime la concession ;*
à condition que *exprime la condition ;*
pour que *exprime le but ;*
pourvu que *exprime le souhait ;*
sans que *exprime la manière.*

■ *Pour utiliser* avant que, pour que *et* sans que *le sujet de la subordonnée et celui de la principale doivent être différents.*
J'aimerais bien m'entraîner **avant que** tout le monde soit là **soit** là.

■ *Si le sujet de la subordonnée et celui de la principale sont les mêmes, on utilise* avant de, pour *et* sans + *infinitif.*
J'aimerais bien m'entraîner **avant de** jouer.

■ *Même chose avec les verbes qui expriment une volonté, un consentement, un sentiment, etc.*
Je veux **que** tu viennes ! *Mais :* Je veux venir !
J'accepte **que** tu partes ! *Mais :* J'accepte de partir !
Je suis content **que** tu sois là ! *Mais :* Je suis content d'être là !

La question avec inversion du verbe et du sujet

■ *Elle s'emploie en situation de communication orale formelle ou à l'écrit.*
Comment allez-vous ?

■ *Il y a toujours un tiret entre le verbe et le pronom.*
Où es-tu ?

■ *Est-ce que n'apparaît pas dans la question avec inversion.*
Est-ce qu'on peut jouer assis ? → Peut-on jouer assis ?

■ *Si le verbe se termine par une voyelle, on ajoute* **-t-** *entre le verbe et les pronoms* il / elle / on.
Sera**-t-**elle à l'heure ?

■ *S'il y a un nom (commun ou propre) dans la question, il apparaît juste avant le verbe +* tiret + pronom il(s) / elle(s).
Pourquoi **Agathe** arrive**-t-**elle toujours en retard ?

■ *Si la question comporte un infinitif ou un participe passé, celui-ci suit immédiatement le pronom.*
Quand Théo a-t-il **commencé** à jouer de cet instrument ?

Le Liban

Inscription en phénicien (–Xe siècle)

Le temple de Jupiter à Baalbek
(IIe siècle)

La cité d'Anjar (VIIIe siècle)

Le Palais de Beiteddine (fin XVIIIe siècle)

**L'histoire du Liban est très ancienne.
Quels moments de cette histoire
ces quatre photos illustrent-elles ?
Fais des recherches sur Internet !**

Portraits de famille

PROJET DE L'UNITÉ :
FABRIQUER UN ALBUM
DE FAMILLE

1 🎧 📖 💬 **Écoute et lis ! Max et Léa n'ont pas bien écouté les explications d'Emma. Trouve les erreurs !**

Image 1

Léa : Bonjour Emma ! Tu vas où ?

Emma : Mon beau-frère est algérien. Nous avons été invités par sa famille à faire une randonnée dans le désert du Sahara, en Algérie !

Image 2

Max : Ils habitent dans le désert ?

Emma : Non ! Ils vivent à Alger, la capitale, mais le grand-oncle de mon beau-frère a un petit-fils qui est guide et son cousin...

Image 3

Léa : Le cousin du grand-oncle ?

Emma : Non, le cousin de mon beau-frère ! Il a un copain dont l'arrière-grand-père était un Touareg*...

Image 4

Félix : Ton arrière-grand-père était touareg ?

Léa : Non ! Emma a été invitée en Algérie...

Max : ...le copain de son beau-frère habite à Alger...

Léa : ...et Emma et sa famille vont faire une randonnée. Ils seront accompagnés par le petit-fils du cousin de son grand-oncle !

Image 5

Max : Non, son arrière-petit-fils.

Félix : L'arrière-petit-fils du cousin de ton grand-oncle ? Mais alors, c'est ton neveu ? Emma, tu as un neveu touareg !?

Image 6

Emma : Je ne suis pas certaine que vous ayez tout compris ! Pourtant, je ne crois pas que ça soit très compliqué, ma famille, non ?

2 📖 💬 **Le subjonctif présent → Regarde l'exemple et complète à l'oral !**
(Voir les verbes irréguliers au subjonctif page 43.)

Exemple : – *Félix :* Je suis sûr que nous **avons** tout compris !

   – *Max :* Moi, je <u>ne</u> suis <u>pas</u> sûr que nous **ayons** tout compris !

1 – *Léa :* Je trouve que la famille d'Emma **est** très compliquée.

   – *Félix :* Non, je <u>ne</u> trouve <u>pas</u> que la famille d'Emma **...** très compliquée !

2 – *Max :* Je <u>ne</u> me rappelle <u>pas</u> qu'elle **...** de la famille en Algérie.

   – *Félix :* Moi, je me rappelle très bien qu'elle **a** de la famille en Algérie !

3 – *Léa :* Je pense qu'elle **veut** compliquer les choses.

   – *Félix :* Pas du tout, je <u>ne</u> pense <u>pas</u> qu'elle **...** compliquer les choses !

4 – *Max :* Je <u>ne</u> crois <u>pas</u> qu'elle **...** traverser le Sahara.

   – *Félix :* Eh bien, moi, je crois vraiment qu'elle **peut** traverser le Sahara !

Le subjonctif présent
Après *croire que, être certain que, être sûr que, penser que, se rappeler que, trouver que* :

Indicatif quand forme affirmative !
Subjonctif quand forme négative !

*un Touareg :

3 🎲📖 **Le passif → Regarde bien l'exemple et choisis à chaque fois la phrase correcte à la forme passive !**

Exemple : Sa famille algérienne invite Emma.
a ☑ Emma est invitée par sa famille algérienne.
b ☐ Emma a été invitée par sa famille algérienne.

1 La famille accueillera d'abord tout le monde à Alger.
a ☐ Tout le monde sera d'abord accueilli par la famille à Alger.
b ☐ Tout le monde est d'abord accueilli par la famille à Alger.

2 Le beau-frère a organisé une randonnée dans le Sahara.
a ☐ Une randonnée dans le Sahara va être organisée par le beau frère.
b ☐ Une randonnée dans le Sahara a été organisée par le beau-frère.

3 Un guide a préparé le voyage.
a ☐ Le voyage a été préparé par un guide.
b ☐ Le voyage est préparé par un guide.

4 Un Touareg accompagne souvent les touristes.
a ☐ Les touristes seront souvent accompagnés par un Touareg.
b ☐ Les touristes sont souvent accompagnés par un Touareg.

Le passif
auxiliaire *être* conjugué + participe passé + *par*
forme active : *Sa famille* **invite** *Emma.*
sujet ⟋⟍ COD
forme passive : *Emma* **est invitée** *par sa famille.*
sujet CA

4 💬❓💭❗ **Regarde cet arbre généalogique et réponds ! Puis pose d'autres questions à ton voisin ou à ta voisine !**

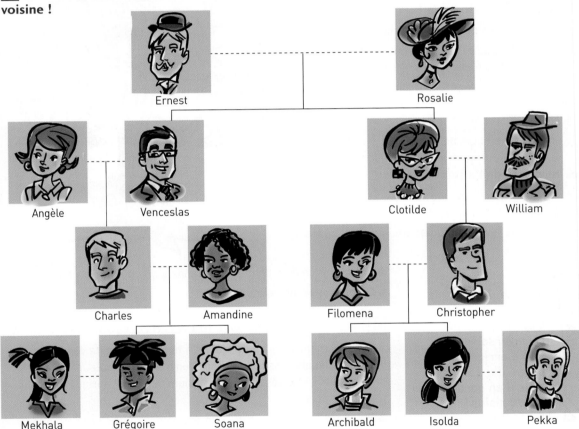

Ernest — Rosalie
Angèle — Venceslas — Clotilde — William
Charles — Amandine — Filomena — Christopher
Mekhala — Grégoire — Soana — Archibald — Isolda — Pekka

l'arrière-grand-mère
l'arrière-grand-père
l'arrière-petite-fille
l'arrière-petit-fils
la grand-mère
le grand-père
la petite-fille
le petit-fils
la mère
le père
la belle-mère
le beau-père
la femme
le mari
la tante
l'oncle
la grand-tante
le grand-oncle
la sœur
le frère
la belle-sœur
le beau-frère
la (petite-)nièce
le (petit-)neveu
la (petite-)cousine
le (petit-)cousin

1 Comment s'appelle la tante de Charles ?
2 Comment s'appelle l'oncle de Christopher ?
3 Comment s'appelle l'arrière-grand-mère d'Isolda ?
4 Comment s'appelle le petit-fils d'Ernest ?
5 Comment s'appelle la belle-sœur de Clotilde ?
6 Comment s'appelle le grand-oncle de Soana ?
7 Comment s'appelle le cousin de Grégoire ?
8 Comment s'appelle le beau-frère d'Archibald ?

Portraits de famille

PROJET : FABRIQUER UN ALBUM DE FAMILLE

Tu as écrit un article sur une célébrité ! Tu peux maintenant fabriquer son album de famille mais aussi l'album d'un autre personnage ! Tu peux aussi fabriquer ton propre album, si tu le souhaites !

1 😀📖 😀✎ **Choisis la célébrité sur laquelle tu as travaillé dans l'unité 6 ou choisis un autre personnage :** personnage de l'histoire française ou de l'histoire de ton pays, personnage littéraire, personnage de série télévisée, etc. !

1 Trouve ou retrouve des informations sur ses frères et sœurs, ses enfants (sa descendance), ainsi que sur ses grands-parents (et même sur ses arrière-grands-parents), si tu le peux !

2 Tu peux aussi inventer complètement un personnage, imaginer ses relations de parenté, inventer des prénoms, des noms, des dates de naissances, etc.

3 Si tu le souhaites, tu peux travailler sur ta propre famille !

2 😀✎ **Crée d'abord un arbre généalogique !**

1 Réalise la première page de l'album en dessinant un arbre généalogique !

Tu peux créer un schéma (un diagramme) qui se lit de haut en bas (voir page 63) ou un « arbre » qui se lit de bas en haut (voir ci-contre).

2 Repère bien les relations de parenté et place (colle) dans le schéma ou sur l'arbre des photos trouvées sur Internet ou dans des magazines (ou mets tes photos de famille, si tu crées ton propre album) !

3 Écris le prénom et/ou le nom des membres de la famille !

3 😀✎ **Crée les pages suivantes de l'album !**

1 Place (colle) sur chaque page deux photos du personnage et de sa famille (ou deux de tes photos de famille) dans des situations diverses !

2 Écris à chaque fois le lieu et la date (éventuellement imaginaires) où les photos ont été prises !

Mexico, 13 mai

C'est aujourd'hui l'anniversaire de notre arrière-grand-père : il a 96 ans, mais il en paraît 20 de moins !

Sahara, 24 octobre

Nous faisons une randonnée dans le désert. La lumière, l'accueil, les paysages sont vraiment magnifiques !

3 Écris pour chaque photo une légende ou un petit commentaire !

4 Crée ainsi au moins trois pages !

4 😀💬😀 **Travaille avec ton voisin ou ta voisine !**

1 Sans lui montrer la photo, décris à ton voisin ou à ta voisine, avec le plus de détails possibles (description physique, couleurs, mobilier, paysage, etc.), une des photos de l'album que tu as fabriqué. Il ou elle prend des notes.

2 Présente-lui l'album. Il ou elle essaie de trouver la photo que tu as décrite !

3 Puis, c'est au tour de ton voisin ou de ta voisine de te décrire une de ses photos, et à toi de la repérer dans son album.

5 💬 **Présente ton album à la classe !** Si tu l'as fabriqué sur ordinateur, mets-le sur ton site ou sur le site web de la classe !

Participe au concours du plus bel album de famille ou de l'album le plus original !

1 🔊📖💬 **Écoute et lis ce qu'a écrit Emma ! Puis réponds aux questions !**

amisetcompagnie.fr

Dans la Casbah d'Alger

Nous sommes à *Alger la Blanche* ! Cet après-midi, nous avons été invités par des amis de mon beau-frère. Ils habitent dans la vieille ville, la *Casbah*. C'est un quartier magique, avec ses petites rues en escaliers et ses maisons presque sans fenêtres. Dans la maison des amis, il y a un *patio*, c'est-à-dire une cour intérieure qui éclaire tout l'espace. En plus du rez-de-chaussée, il y a deux étages et tout en haut une belle terrasse avec une vue splendide sur la mer !

À chaque étage, il y a quatre chambres. Chacune s'ouvre sur un des quatre côtés du *patio* qui est entouré d'arcades et de colonnes de marbre. Les murs sont décorés de céramiques bleues. Au milieu de la cour, il y a une fontaine. Elle est ornée* de mosaïques. Cette cour est le centre de la maison : tous les habitants peuvent facilement se voir ou se parler !

Patio dans une maison de la Casbah

Le *patio* est baigné de lumière ! C'est là qu'on nous a servi du thé et des gâteaux au miel. On a posé des plateaux de cuivre sur des petites tables et nous avons bu le thé dans des verres de toutes les couleurs.

La maison est vraiment « tournée vers l'intérieur », vers cette jolie cour, fraîche et claire, où toute la famille peut se regrouper, rire et bavarder ; mais on peut aussi profiter du silence et rêver en écoutant le petit bruit de l'eau de la fontaine !

Dans une rue de la Casbah

L' ALGÉRIE

Superficie : 2 381 741 km^2

Capitale : Alger

Villes principales : Alger (El-Djezaïr), Oran (Wahran), Constantine (Qacentina), Annaba

Population : 36 millions d'habitants

Régime politique : république

Langue officielle : arabe

Langues nationales : arabe, tamazight

Langue étrangère privilégiée : français

Algériens célèbres : Kateb Yacine, Mohamed Dib, Assia Djebar, Azouz Begag, Yasmina Khadra (écrivains), Khaled, Cheb Mami , Souad Massi (chanteurs), Zinedine Zidane (footballeur), etc.

1 Où se trouve l'Algérie ? En Afrique australe ? En Afrique du Nord ? On peut comparer sa superficie avec celles de quels pays ?

2 Qu'est-ce que la *Casbah* ? Décris-la !

3 Il y a combien d'étages et combien de chambres dans cette maison de la *Casbah* d'Alger ? Tu pourrais en faire un plan ?

4 Décris le *patio* et sa décoration !

5 Comment Emma a-t-elle passé cet après-midi chez les amis de son beau-frère ? Explique !

2 🔊📖💬 **Transforme à l'oral à la forme passive ! Attention ! Ici, le complément d'agent (CA) est introduit par *de* !**

Exemple : Des arcades entourent la cour. → La cour **est** entour**ée d'**arcades.

1 Des céramiques décorent les murs. →

2 Des colonnes de marbre ornent la cour. →

3 Des fleurs entourent la fontaine. →

4 De la lumière baigne le patio. →

5 Des mosaïques ornent la fontaine. →

6 Des plateaux de cuivre décorent les tables. →

---

* orner : *décorer*

Portraits de famille

Patios de Assia Djebar

Assia Djebar est une romancière algérienne de langue française ; elle est aussi historienne et cinéaste. De son vrai nom Fatima-Zohra Imalayène, elle est née à Cherchell en Algérie en 1936. À 18 ans, elle va continuer ses études à Paris. À 19 ans, elle publie son premier roman, *La Soif*.

Elle part au Maroc enseigner l'histoire du Maghreb à l'université de Rabat. Elle enseigne ensuite l'histoire à l'université d'Alger. Elle vit entre l'Algérie, la France et les États-Unis, où elle enseigne la littérature française à l'université de New York. Elle est élue membre de l'Académie royale de langue et de littérature française de Belgique en 1999 et membre de l'Académie française en 2005.

Patios de mon enfance ! Femmes assises là, quelquefois plusieurs femmes d'un seul homme ou regroupées à l'ombre du même maître – père ou frère aîné[1]. Le plus souvent parentes[2] de la même famille, proche ou éloignée.

Je me souviens d'une maison mauresque[3], la plus ancienne, mais aussi la plus grande de mon quartier.
5 Arcades de marbre, galeries de céramiques où les jaunes, les bleus et les verts gardaient leur harmonie, malgré le temps passé : deux étages s'élevaient autour de la cour dont la fontaine me fascinait quand je venais chaque après-midi d'été chez ma tante, à l'heure du goûter.

Trois branches familiales habitaient à chacun des niveaux ; mon grand-père avait eu trois femmes, la dernière étant ma grand-mère, entrée là quand elle avait douze ans. Elle s'était trouvée du même âge
10 que les petits-enfants de son vieux mari. Ainsi, les rapports de parenté étaient souvent compliqués.

Ma grand-mère elle-même avait donné en mariage une de ses filles – née, il est vrai, d'un troisième mari – au dernier des petits-fils de son premier mari : ce jeune homme avait donc épousé sa tante, c'est-à-dire la sœur de son père par alliance !

De même, la femme de mon oncle avait été choisie dans cette descendance[4]. La mariée – cette belle-
15 fille amenée à avoir le pouvoir domestique sur notre famille – était l'arrière-petite-fille du premier mari de ma grand-mère : elle devenait à vingt ans la belle-fille de son aïeule[5] !

Ces mariages extraordinaires étaient le sujet des conversations des après-midi[6]. Ainsi, on parlait de ce jeune homme qui pouvait être à la fois le demi-frère et l'oncle d'une voisine. On parlait de ces enfants de cousins qui se retrouvaient neveux, mais aussi beaux-frères de leur tante... Les parleuses reprenaient
20 les bavardages le lendemain ou deux jours après. (...)

---

1. aîné : *plus âgé*
2. le (la) parent(e) : *personne de la même famille, neveu, nièce, oncle, tante, etc.*
3. mauresque : *relatif à l'art des Maures*
4. la descendance : *enfants ou petits-enfants*
5. l'aïeul(e) : *grand-père, grand-mère ou arrière grand-père, arrière grand-mère*
6. l'après-midi (*m.* ou *f.*) : *mot invariable : des après-midi*

7. les commérages (*m. pl.*) : *bavardages*
8. avec distraction : *sans faire attention*
9. ressurgir : *réapparaître*
10. les fillettes (*f. pl.*) : *petites filles*
11. la verrière : *toit en verre*
12. le répit : *pause, repos*

Bavardages à heure fixe, voix entrecoupées de rires ou de soudains silences, commérages[7] sur les maisons voisines. J'écoutais avec distraction[8], assise dans l'escalier de la maison.

Vingt ans après, ces souvenirs resurgissent[9] : vieilles dames et jeunes femmes réapparaissent, avec leur robe à l'ancienne et tous leurs bijoux ; les jeunes filles sont assises en cercle, les yeux baissés ; les fillettes[10] accourent, abandonnant leurs jeux dans les corridors. Chaque invitée apporte son plateau de cuivre, les verres à thé, la cafetière et le plat de gâteaux au miel. Le patio est baigné de lumière. Reflet des mosaïques, parfum des fleurs. (...)

Chaque parente sortant de sa chambre voulait aussi profiter, pendant la rencontre du patio, de la clarté du ciel. Je me souviens du concert de protestations lorsqu'un des neveux-oncles avait proposé de recouvrir le patio d'une verrière[11]. Toutes les femmes de la maison avaient dit : « Pas de verrière, pas de verrière, un coin de ciel, seulement ! »

Ce dont elles avaient besoin, c'était cela : un répit[12] dans ce coin de ciel, dans le miel des gâteaux, le parfum du café et les après-midi du patio...

D'après *Patios* in *Ombre sultane*, Assia Djebar, 1987

1 🎧📖💬 **Écoute et lis ! Puis réponds !**

1 Dans quel pays est née Assia Djebar ? Où a-t-elle travaillé et vécu ?

2 Assia Djebar est *historienne*, c'est-à-dire elle enseigne l'histoire. Elle est aussi *cinéaste* et *romancière*. Explique !

3 Qui habitait dans la *maison mauresque* où Assia Djebar allait chaque après-midi d'été de son enfance ?

4 Décris la maison et son *patio* !

5 Qu'y avait-il l'après-midi dans le *patio* ? Des hommes ? Des femmes ? Que faisaient-elles ?

6 Pourquoi, selon toi, Assia Djebar dit-elle que ces femmes avaient besoin d'un *répit* (d'une pause, d'un peu de repos) ? Travaillaient-elles trop ? Est-ce qu'elles se sentaient seules ? Avaient-elles besoin d'un peu de liberté ?

2 📖💬 **Transforme les phrases à la forme passive !**

1 La tante d'Assia héberge trois familles.

2 Ma grand-mère avait donné en mariage une de ses filles.

3 La famille de son mari accueillera la jeune fille.

4 Ma grand-mère a aussi choisi la femme de mon oncle.

Communication

Tu sais maintenant…

■ **exprimer le doute, l'incertitude :**
Je ne suis pas sûr que nous ayons tout compris.
Je ne pense pas qu'elle veuille compliquer les choses.

■ **mettre en valeur une personne, une chose :**
Emma est invitée par sa famille algérienne.
Les touristes seront accompagnés par un guide.
Une de ses filles avait été donnée en mariage au dernier des petits-fils de son premier mari.

Vocabulaire

Famille 1

l'arrière-grand-mère (f.)	le beau-frère / la belle-sœur	la cousine	le neveu
l'arrière-grand-père (m.)	la belle-fille / le gendre	la femme	la nièce
les arrière-grands-parents	le demi-frère	le grand-oncle	le petit-fils
l'arrière-petite-fille (f.)	la demi-sœur	la grand-tante	la petite-fille
l'arrière-petit-fils (m.)	le cousin	le mari	les petits-enfants

Famille 2

l'arbre généalogique (m.)	la jeune femme	le (la) marié(e)	les rapports (relations)
la descendance	le jeune homme	les membres de la famille	de parenté

Architecture et ustensiles

l'arcade (f.)	la cour	la galerie	le niveau (pl. niveaux)
la cafetière	l'escalier (m.)	l'harmonie (f.)	le patio
la céramique	l'espace (m.)	le marbre	le plateau (de cuivre)
la colonne	la fontaine	la mosaïque	la terrasse

Activités langagières

le bavardage	la conversation	la rencontre	le silence
le bruit	la protestation	le rire	la voix

Verbes

baigner	décorer	entourer	recouvrir
bavarder	éclairer	fasciner	se regrouper
compliquer	s'élever	se rappeler	vivre

Adjectifs et prépositions

algérien(ne) (l'Algérie, f.)	certain(e)	éloigné(e)	premier / première
ancien(ne)	compliqué(e)	frais / fraîche	proche
autour de	dernier / dernière	malgré	

Grammaire

Le subjonctif présent (suite et fin)

Après des verbes comme croire que, être certain que, être sûr que, penser que, se rappeler que, trouver que, *l'indicatif s'emploie lorsque ces verbes sont à la forme affirmative mais le **subjonctif** s'emploie lorsqu'ils sont à la forme négative.*
Je suis sûr que nous **avons** tout compris !
Moi, je <u>ne</u> suis <u>pas</u> sûr que nous **ayons** tout compris !

Le passif

■ *Il s'emploie pour mettre en valeur la personne / la chose qui subit l'action. Le verbe est conjugué avec l'auxiliaire* être.
Emma **est** invitée par sa famille algérienne.

■ *Le sujet de la phrase active devient complément d'agent (CA) de la phrase passive. Le COD, complément d'objet direct, de la phrase active devient sujet de la phrase passive. La préposition* **par** *introduit le complément d'agent.*
Un guide (*sujet*) prépare le voyage (*COD*). → Le voyage (*sujet*) **est préparé par** un guide (*CA*).

■ *Seuls les verbes transitifs (qui ont un COD) peuvent avoir une forme passive.*
Les femmes parlaient d'un jeune homme. → *Transformation à la forme passive* **impossible** !

■ *Mais quand le sujet de la phrase active pourrait être* on, *le verbe passif n'a pas de complément d'agent.*
Une bonne nouvelle a été annoncée (~~par on~~).

■ *Le participe passé du verbe passif s'accorde toujours avec le sujet.*
La jeune fille a été accueill**ie** par la famille de son mari.

■ *Avec des verbes de description et si le complément d'agent est un objet, celui-ci est introduit par la préposition* **de (d')**.
La cour est entourée **d'**arcades. Les murs sont décorés **de** céramiques.

Stratégies

Pour mieux apprendre...

■ Analyse la composition de certains mots afin de produire à ton tour des mots nouveaux ! Par exemple repère le mot *beau* dans *beau-frère* ou le mot *petit* dans *petit-fils* ou encore le mot *arrière* dans *arrière-grand-père*.

■ Après avoir bien compris le sens de ces mots dans ce contexte particulier et repéré comment ils s'assemblent avec les autres mots, tu pourras produire par déduction de nouveaux mots comme *belle-mère*, *petit-neveu* ou *arrière-petit-fils* !

Culture et civilisation

L'Algérie

Alger : le front de mer

Montagne enneigée en Kabylie

Ghardaïa (Mzab)

Plateau de la Tadrart, désert du Sahara

L'Algérie est un pays immense et son climat varie beaucoup, du type méditerranéen au nord au type saharien au sud. Fais des recherches !

Unité **9** LEÇON 1

PROJET DE L'UNITÉ :
PRÉPARER ET PRÉSENTER
UNE EXPOSITION

L'exposition

1 🎲📖💬 **Écoute et lis ! Que découvrent les amis ? …que Joséphine est une artiste ? Repère ensuite dans le texte les constructions soulignées *si* + imparfait + conditionnel présent : elles expriment une hypothèse qui a peu de chances de se réaliser. Fais-en une liste !**

Image 1

Léa : On va voir une exposition sur Ousmane Sow, un sculpteur sénégalais. C'est Seydou qui a écrit le texte de présentation de l'expo ! On vient vous chercher, toi et Joséphine.

Image 2

Théo : Joséphine ? Aller voir une exposition ? <u>Si elle s'intéressait</u> à l'art, <u>je le saurais</u> ! Elle **ne** voit **que** des jeux vidéo et elle **ne** s'intéresse **qu'**à ses « magazines people » ! <u>Si je ne lui montrais pas</u> des livres d'art de temps en temps, <u>elle n'imaginerait</u> même pas que l'art, ça puisse exister !

Image 3

Joséphine : Je prépare une exposition de mes sculptures. Tout n'est pas prêt. Je **n'**aurai fini **que** dans deux ou trois jours. Ce **n'**est **qu'**une première petite exposition au collège, bien sûr, mais...

Image 4

Seydou : <u>Si j'écrivais</u> un texte de présentation pour ton expo, <u>je dirais</u> que tes sculptures sont géniales ! Quelle est ta technique ?

Image 5

Joséphine : Je construis une petite armature[1] en plastique et je modèle[2] ensuite le visage avec de la terre.

Image 6

Joséphine : <u>Si ma famille</u> reconnaissait mon talent comme vous le faites, <u>je serais</u> tellement heureuse ! Il **n'y a que** mes amis qui puissent me comprendre !

2 🎲📖💬 **La construction *si* + imparfait + conditionnel présent → Regarde bien l'exemple et transforme les phrases ! Puis écoute le CD pour vérifier tes réponses !**

Exemple : Mon frère <u>ne</u> s'intéresse <u>pas</u> à mon travail. Sinon, il comprendrait mon génie. → **Si mon frère s'intéressait** à mon travail, **il comprendrait** mon génie.

1 Je <u>n'ai pas</u> assez de temps. Sinon, je réaliserais d'autres œuvres magnifiques. →

2 Je <u>ne</u> participe <u>pas</u> à un concours de sculptures. Sinon, je gagnerais sûrement un prix. →

3 Stanislas <u>n'est pas</u> là. Sinon, il serait fier de moi. →

4 Je <u>n'ai pas de</u> coach. Sinon, il organiserait des expositions dans le monde entier. →

5 Mon talent <u>n'est pas</u> reconnu. Sinon, je serais déjà une grande artiste du XXIᵉ siècle ! →

---

1. l'armature (f.) : *ensemble de tiges qui servent à soutenir quelque chose* – 2. modeler : *donner une forme, façonner*

3 📖📖 Repère page 70 la négation *ne ... que* : elle exprime une restriction. On peut aussi utiliser l'adverbe *seulement* (ou l'adjectif *seul* devant un sujet), sans négation. → Regarde l'exemple et l'aide-mémoire et transforme les phrases !

Exemple : Joséphine **ne** voit **que** des jeux vidéo. → Joséphine voit **seulement** des jeux vidéo.

1 Elle **ne** s'intéresse **qu'**à ses « magazines people ». →

2 Elle **n'**aura fini ses sculptures **que** dans deux ou trois jours. →

3 Pour elle, ce **n'**est **qu'**une première petite exposition au collège. →

4 Il **n'y a que** ses amis **qui** puissent vraiment encourager Joséphine. →

> *Il n'y a que... qui* + subjonctif
> **Il n'y a que** ses amis **qui** comprennent Joséphine.
> → **Seuls** ses amis comprennent Joséphine.

4 📖📖 Regarde les œuvres de ces quatre grands sculpteurs français et associe ! Puis réponds !

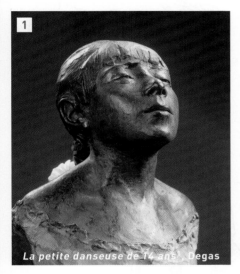

1 — *La petite danseuse de 14 ans¹*, Degas

2 — *Le Penseur²*, Rodin

3 — *La liberté éclairant le monde³*, Bartholdi

4 — *Héraclès archer⁴*, Bourdelle

A | B | C | D

1 Décris les statues ! Sont-elles assises, debout, droites, raides, penchées, la tête baissée, la main levée, le bras tendu, etc. ?

2 Quels sentiments expriment-elles ? Relie au moins deux sentiments à chaque statue !
arrogance – autorité – calme – chagrin – colère – courage – découragement – désespoir – douceur – doute – énergie – ennui – fierté – force – froideur – générosité – jalousie – mélancolie – mystère – sévérité – tendresse – timidité – tristesse – violence, etc.

3 Quels sentiments éprouves-tu devant chacune de ces sculptures ?
admiration – amusement – curiosité – émotion – ennui – incompréhension – indifférence – plaisir – tristesse, etc.

4 Si tu pouvais choisir une de ces statues pour ta ville ou ton quartier, tu prendrais laquelle ? Pourquoi ?

---

1. *La petite danseuse de 14 ans* (1879), Edgar Degas (1834-1917) – 2. *Le Penseur* (1882), Auguste Rodin (1840-1917) – 3. *La Liberté éclairant le monde* (1886) – New York, Frédéric Auguste Bartholdi (1834-1904) – 4. *Héraclès archer* (1900), Antoine Bourdelle (1861-1929)

L'exposition

PROJET : PRÉPARER ET PRÉSENTER UNE EXPOSITION

Tu veux préparer une exposition sur des peintres ou des sculpteurs pour ton cours d'arts plastiques ?
Tu veux organiser une exposition sur des inventions célèbres pour ton cours de sciences ?
Tu voudrais faire une exposition sur le chocolat ? Alors, présente-la en français !

1 Lis et écris tes choix sur une feuille pour réaliser ta fiche-projet !

1 Choisis pour quelle matière ou dans quel domaine tu voudrais faire cette exposition !

☐ Histoire
☐ Géographie
☐ Sciences
☐ Maths
☐ Sport
☐ Musique, chanson(s)
☐ Peinture
☐ Sculpture

☐ Danse
☐ Mode
☐ Bandes dessinées (BD)
☐ Cinéma
☐ Télévision
☐ Théâtre
☐ Jeux vidéo
☐ Photos

☐ Informatique
☐ Vie quotidienne
☐ Nature
☐ Société
☐ Économie
☐ Alimentation
☐ Santé
☐ ...

2 Tu veux ensuite traiter un thème, un sujet. Choisis lequel !

Par exemple en histoire, une période importante pour ton pays ? La présentation des
œuvres d'un illustrateur de bandes dessinées ? L'histoire de ton sport préféré ? Les
meilleures recettes d'un grand chef cuisinier ? Les créations d'une styliste de mode ?
La présentation des photos que tu as prises au cours d'un séjour en France ? etc.

Demande l'avis et l'aide de tes professeurs !

3 Sélectionne ensuite les supports et les documents que tu veux exposer !

☐ Photos
☐ Vidéos ou DVD

☐ CD et MP3
☐ Objets divers

☐ Illustrations
☐ Reproductions de tableaux, etc.

2 Écris en français la présentation de l'exposition !

Si tu présentes des œuvres d'art, donne le nom de leur(s) auteur(s) et leur date de création.
Décris les œuvres (forme, couleurs, matériaux) et ajoute un petit commentaire !

3 Présente ou installe ton exposition dans la classe ou mets-la sur
Internet ! Participe au concours de l'exposition la plus réussie !

4 Écoute et chante le rap / la chanson !

C'est seulement un projet,
C'est seulement une expo,
C'est seulement une idée,
C'est seulement des photos !
Mais aujourd'hui, les amis...
On vous fait partager nos plus belles passions,
Oui, aujourd'hui les amis...
On vous fait découvrir de nouveaux horizons !

🎧 💬📖 📖💬 **Écoute et lis ce qu'a écrit Seydou ! Puis réponds aux questions !**

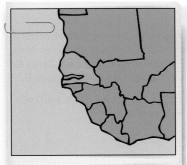

| Accueil | Dossiers | Infos | Carnets de voyage | Livres |

Ousmane Sow

Ousmane Sow est un artiste sculpteur né au Sénégal en 1935. Il travaille à Paris puis à Dakar comme kinésithérapeute[1]. Dans ce métier, il faut avoir une parfaite connaissance des muscles et de l'anatomie ! Cela sera essentiel pour son œuvre.

À 50 ans, il retourne à sa passion de jeunesse, la sculpture. Avec ses premières œuvres, les lutteurs[2] *Noubas*, il invente une technique très personnelle : il construit une armature en métal, recouverte de toile de jute[3] et d'autres matériaux. Puis il modèle son sujet en étalant une pâte faite de terre mélangée à d'autres produits : c'est une recette dont il garde le secret !

Il crée ensuite des séries sur d'autres peuples africains, les *Masaï*, les *Zoulous* et les *Peuls*. Il réalise aussi une série sur les peuples indiens d'Amérique

Lutteur Nouba

du Nord. Il sculpte des corps de colosses[4], mystérieux et fascinants (ils dépassent les deux mètres cinquante).

Il les expose dans le monde entier.
En 1999, une rétrospective[5] de ses œuvres sur le Pont des Arts à Paris est visitée par trois millions de personnes.

Guerrier Masaï

Ousmane Sow est un des plus grands sculpteurs contemporains. Auguste Rodin a dit un jour : « Quand un bon sculpteur modèle des corps humains, il ne représente pas seulement des muscles, mais aussi la vie et l'émotion qui les réchauffent ! »

LE SÉNÉGAL

Superficie : 196 723 km²

Capitale : Dakar

Villes principales : Dakar, Ziguinchor, Thiès, Gorée, Kaolack, Mbour, Saint-Louis, etc.

Population : 14 millions d'habitants

Régime politique : république

Langue officielle : français

Langues nationales :
wolof, sérère, peul, mandingue, soninké, diola, etc.

Sénégalais célèbres :
Cheikh Anta Diop (historien et scientifique), Léopold Sédar Senghor (homme d'État et poète), Ousmane Sembène (romancier et cinéaste), Ousmane Sow (sculpteur), Collé Ardo Sow, Oumou Sy (stylistes), Youssou N'Dour (musicien), etc.

---

1 Où se trouve le Sénégal ? En Afrique de l'Est ? En Afrique de l'Ouest ? Comment s'appelle sa capitale ?

2 Quel métier Ousmane Sow a-t-il exercé avant de devenir sculpteur ? Comment ce métier l'a-t-il aidé à créer ses sculptures ?

3 Est-ce qu'il avait déjà réalisé des sculptures dans sa jeunesse ?

4 Les *Peuls* vivent en Afrique de l'Ouest, les *Masaï* (ou *Massaïs*) et les *Noubas* viennent d'Afrique de l'Est. Trouve de quelle région d'Afrique sont originaires les *Zoulous* !

5 Explique avec quelle technique les sculptures du *Lutteur Nouba* ou du *Guerrier Masaï* ont été réalisées !

6 Quand et où toutes les œuvres d'Ousmane Sow ont-elles été présentées ? Est-ce que cette exposition a eu du succès ?

7 Qu'a voulu dire Auguste Rodin ? Qu'un bon sculpteur doit d'abord savoir représenter le corps humain et ses muscles ? Qu'un bon sculpteur doit aussi savoir exprimer la vie et l'émotion dans un corps humain ?

8 Cite le nom de sculpteurs français célèbres ou le nom de sculpteurs de ton pays ou d'autres pays du monde !

---

1. le kinésithérapeute : *praticien qui soigne les douleurs en massant ou en faisant faire des mouvements de gymnastique* – 2. le lutteur : *sportif qui pratique la lutte* – 3. la toile de jute : *tissu rugueux et épais* – 4. le colosse : *homme très grand et très fort* – 5. la rétrospective : *exposition présentant l'ensemble des œuvres d'un artiste*

L'exposition

La Ballade de Dioudi de Léopold Sédar Senghor

Léopold Sédar Senghor (1906-2001) est un poète, écrivain et homme d'État sénégalais. Passionné de littérature française, il part poursuivre ses études en France et devient professeur de français. Il est élu député de l'Assemblée nationale française ; il est nommé secrétaire d'État puis ministre conseiller du gouvernement français. Après la proclamation de l'indépendance du Sénégal, il devient le premier président de la République du Sénégal en 1960.

Il est élu à l'Académie française en 1983 : il est le premier Africain à y siéger. Il publie des essais, des traductions de ballades africaines et des poèmes qui expriment l'amour de son pays et de ses traditions.

Jeunes filles, dont le regard sait si bien faire battre le cœur des hommes, écoutez l'histoire de Dioudi qui est morte d'amour ! Guerriers qui faites trembler l'ennemi[1], écoutez l'histoire de Séga qui est mort d'amour !

Bakary est un grand roi. C'est le chef le plus puissant[2] du pays. Il possède toutes les richesses, mais
5 ce qu'il a de plus précieux[3], c'est sa fille, la belle Dioudi. Guerrier ! toi qui n'as jamais tremblé devant ton ennemi, tu aurais tremblé devant son regard ; tu aurais été le plus heureux des hommes si elle t'avait souri.

Tous les jeunes hommes du pays sont amoureux de Dioudi. Chacun voudrait son amour. Mais celui que Dioudi aime est Séga, le plus beau, le plus sage et le plus brave[4] des guerriers.

10 Dioudi aime Séga et Séga aime Dioudi. Ils ne se sont jamais parlé, ils se sont vus une fois et ils savent tout ce qu'ils ont d'amour l'un pour l'autre.

Personne ne les a vus, personne ne sait qu'ils se connaissent et pourtant Séga passe de longues heures auprès de Dioudi. Il aime la fille du roi. Mais il est pauvre, il est de naissance obscure[5], il ne peut espérer l'épouser. Qu'importe ! Séga et Dioudi s'aiment, voilà tout. Ils sont heureux.

15 Mais, hélas ! Voilà le malheur qui arrive. La guerre est déclarée. L'ennemi avance, brûlant les villages, tuant les hommes. L'ennemi envahit le pays.

Le roi Bakary fait battre le tam-tam[6] de guerre. Les guerriers accourent et le premier de tous est Séga. Il est si fort, il est si brave que bientôt, il est le chef. Il entraîne ses amis au combat.

Dioudi pleure, elle se désole. Elle tremble pour la vie de Séga. Le temps s'écoule, la guerre dure et
20 voilà que d'autres douleurs l'assaillent : Dioudi sera bientôt mère.

---

1. l'ennemi (m.) : pays contre lequel on est en guerre
2. puissant : fort
3. précieux : qui a une grande valeur
4. brave : courageux
5. de naissance obscure : de condition modeste
6. le tam-tam : tambour d'Afrique

Le roi Bakary est furieux. Il veut savoir qui a osé séduire[7] sa fille. La fille du roi ne peut être aimée que par un roi. Celui qui l'a séduite doit mourir ! Bakary ordonne[8] à sa fille :

« Dis-moi son nom, dis-moi qui est cet homme ! Il mourra !

– Mon père, répond Dioudi, celui que j'aime est beau comme le soleil. Il est brave comme le lion. Il
25 est sage[9] comme un vieillard[10]. Mais je ne vous dirai pas son nom. Il ne doit pas mourir. Il doit être votre fils bien aimé, en attendant d'être votre successeur[11].

– Dioudi, tu me diras son nom, je saurais t'y forcer[12]. On va t'enfermer. Tu souffriras toutes les douleurs, toutes les tortures ! »

Mais Dioudi ne dira pas son nom. Elle est enfermée dans un cachot[13] obscur. Dioudi se désespère.
30 Elle souffre de la faim. Dioudi est morte. Elle n'a pas dit le nom de celui qu'elle aime.

Séga a vaincu l'ennemi. La guerre est finie. Tout le monde acclame[14] Séga. Bakary est dans la joie. Il dit à Séga : « Dis-moi, brave guerrier, que veux-tu pour ta récompense ? Dis-moi ce que tu désires, je te l'accorderai[15].

– Grand roi, répond Séga, si tu veux me rendre heureux, donne-moi Dioudi en mariage.
35 – Hélas ! Dioudi est morte. Elle est morte d'amour sans vouloir dire le nom de celui qu'elle aimait. Elle est morte pendant que tu combattais l'ennemi, pendant que tu remportais la victoire. »

Séga ne veut plus rien, ne demande plus rien. Il n'entend plus les cris de joie. Il court sur la tombe[16] de sa bien-aimée et meurt de douleur.

D'après *La Ballade khassonkée de Dioudi*, Léopold Sédar Senghor, 1964

🖥️📖😃💬 Écoute et lis ! Puis réponds !

1 Quel métier Léopold Sédar Senghor a-t-il exercé et quelles responsabilités politiques a-t-il eues ?

2 Quelles sont les qualités de Dioudi ? Quelles sont celles de Séga ?

3 Leur amour est-il secret ? Pourquoi ?

4 Pourquoi le roi Bakary veut-il la mort de l'homme qui a séduit sa fille ?

5 Est-ce parce qu'elle est sa richesse la plus précieuse, qu'il l'enferme dans un cachot ?

6 Si Dioudi n'était pas morte, le roi Bakary l'aurait-il donné en mariage à Séga ?

7 Imagine un autre dénouement, c'est-à-dire une fin différente : une fin plus heureuse ou bien une fin encore plus tragique !

8 Peut-on comparer cette « ballade » à l'histoire de *Roméo et Juliette* ? Oui ? Non ? Pourquoi ?

Communication

Tu sais maintenant…

■ **exprimer une hypothèse (qui a peu de chances de se réaliser) :**
Si Joséphine s'intéressait à l'art, je le saurais.

■ **exprimer l'indifférence (pour quelque chose qui n'a pas d'importance) :**
Qu'importe !

■ **exprimer une restriction :**
Elle ne voit que des jeux vidéo.
Elle aura fini seulement dans deux ou trois jours.
Seuls ses amis peuvent encourager Joséphine.

■ **exprimer une comparaison :**
Il est beau comme le soleil. Il est brave comme le lion.

■ **exprimer le regret :**
Hélas !

Vocabulaire

Sentiments

l'admiration (f.)	la douceur	la froideur	le plaisir
l'amusement (m.)	la douleur	la générosité	la sévérité
l'arrogance (f.)	le doute	l'incompréhension (f.)	la tendresse
l'autorité (f.)	l'émotion (f.) (U 7)	l'indifférence (f.)	la timidité
le chagrin	l'énergie (f.)	la jalousie	la tristesse
la curiosité	la fierté	la mélancolie	la violence

Art, création et autres

la connaissance	la guerre	l'œuvre (f.)	le sculpteur (la sculptrice)
les études (f. pl.)	le guerrier	la présentation	le (la) styliste
l'exposition (l'expo) (f.)	le matériau (pl. -aux)	le regard	la technique

Verbes

combattre	étaler	oser (U5)	sculpter
se désoler	exister	pleurer	souffrir
enfermer	exposer	réchauffer	trembler
éprouver (un sentiment)	faire battre (le cœur)	représenter (U1)	vaincre

Adjectifs et adverbes

assis(e) (U7)	droit	penché(e)	seulement (U1)
baissé(e)	indien(ne)	raide	tellement
debout (U7)	levé(e)	sénégalais(e) (le Sénégal) (U1)	tendu(e)

si + imparfait + conditionnel présent

Cette construction exprime une **hypothèse** *qui a peu de chances de se réaliser.*
Si je ne lui montrais pas des livres d'art de temps en temps, elle n'imaginerait même pas que l'art, ça puisse exister !
Le verbe de la subordonnée, introduit par si est à l'imparfait, le verbe de la phrase principale est au conditionnel présent.

La négation *ne ... que (qu')*

On peut aussi utiliser l'adverbe seulement *(ou l'adjectif* seul *devant un sujet), sans négation.*
Seul, seulement *et* ne ... que *expriment une restriction par rapport...*

■ *au sujet de la phrase :*
il n'y a que... qui + subjonctif   = **seul(e)**
Il n'y a que Seydou **qui** me comprenne.   = **Seul** Seydou me comprend.

■ *au COD :*
Elle **ne** voit **que** des jeux vidéo.   = Elle voit **seulement** des jeux vidéo.

■ *au COI :*
Elle **ne** s'intéresse **qu'**à ses « magazines people ».   = Elle s'intéresse **seulement** à ses « magazines people ».

■ *au complément de temps ou de lieu :*
Je **n'**aurai fini **que** dans deux ou trois jours.   = J'aurai fini **seulement** dans deux ou trois jours.

■ *à la structure* c'est *:*
Ce **n'**est **qu'**une première petite exposition au collège.   = C'est **seulement** une première petite exposition au collège.

Le pronom interrogatif *lequel, laquelle, lesquels, lesquelles*

Tu veux traiter un thème. **Lequel ?**
Si tu pouvais choisir une de ces statues, tu prendrais **laquelle ?**

Pour mieux comprendre et apprendre...

Déduis le sens d'un nom à partir de l'adjectif que tu as déjà rencontré : courageux → courage – désespéré → désespoir – doux → douceur – fier → fierté – fort → force – froid → froideur – généreux → générosité – jaloux → jalousie – mystérieux → mystère – timide → timidité – triste → tristesse, etc.

Écris une liste de vocabulaire en notant ensemble l'adjectif et le nom, afin de mieux les mémoriser.

**Le Sénégal
Mode et créations**

Créations de Fagueye Ba

Créations d'Oumou Sy

Création de Colle Ardo Sow

Créations de Ndiaga Diaw (Fitt)

**La mode est très importante au Sénégal.
Que penses-tu de ces modèles ?
Tu préfères lequel ?**

On révise et on s'entraîne pour le DELF B1 !

Nom : .... Prénom : ....

Compréhension de l'oral (25 points)

1 Écoute et écris à chaque fois le prénom de la personne qui se présente ! Tu as deux écoutes !

FAMILLE MATHIEU
Gloria + Henri
Paul + Lucie   Victor   Lola
Louis   Mia   Tom

FAMILLE LEGRAND
Robert + Gloria
Tom + Marion   Paul + Julie
Lucie   Victor   Mia

Présentation **1** - Prénom : ....

Présentation **2** - Prénom : ....

2 Écoute cette émission de Radio Algérie Chaîne 3 sur le Sahara algérien ! Puis coche les bonnes cases ! Lis d'abord les phrases et les noms ! Tu as deux écoutes !

☐ Le Sahara se trouve au nord de l'Algérie.
☐ Dans le Sahara, il peut faire très froid la nuit.
☐ On trouve de l'eau dans des réservoirs naturels.

☐ Les gueltas sont des rivières qui se forment après la pluie.
☐ Les gerboises sont des renards des sables.
☐ Le désert peut être aussi plein de vie.

Dans le Sahara algérien, on trouve des...

☐ ânes	☐ chacals	☐ escargots	☐ gazelles	☐ lamas	☐ mouflons
☐ araignées	☐ chèvres	☐ fennecs	☐ gerboises	☐ lézards	☐ oiseaux
☐ canards	☐ dromadaires	☐ fourmis	☐ grenouilles	☐ mouches	☐ scorpions

3 Écoute la biographie du musicien et chanteur sénégalais Youssou N'Dour ! Puis complète le tableau ! Tu as deux écoutes !

Année et lieu de naissance : ....

1985 – Concert pour la libération de ....

1998 – Film : Kirikou et ....

2008 – Création d'une .... de microcrédit

Ambassadeur de bonne volonté pour l' ....

Un de ses partenaires musicaux : ....

Son orchestre : ....

Concert à Bercy (Paris) : ....

Compréhension des écrits (25 points)

1 Lis ce texte paru sur le site de TV5 Monde ! Puis coche les bonnes cases et **justifie tes réponses** !

Les gens de Beyrouth

Elie Khoury habite dans un coin de rue sombre. Il est gardien de parking. Comme chaque soir, jusqu'à 3 heures du matin, il a sorti devant sa cabane de gardien un vieux canapé et quelques chaises, son ventilateur et son poste de télévision, et il attend… Chaque voiture lui rapporte deux dollars. « J'avais une parfumerie avant, un beau magasin ! » Mais Elie a reconstruit sa vie, petit à petit : « Il faut bien vivre, alors on s'amuse ! » Il est propriétaire de l'immeuble d'en face. Dix étages de 100 m² chacun avec à chaque étage trois chambres, un salon et deux salles de bain. « Je loue à des jeunes filles qui étudient à l'université d'à côté. » 150 dollars par mois et par jeune fille à raison de cinq par étage, l'affaire semble plutôt rentable. Elie a trois voitures personnelles. Une Fiat de 1969 qui marche toujours, mais aussi une Renault 19 et une Mercédès qui fait son bonheur. Ses enfants s'en sortent bien aussi. L'un de ses fils est avocat, l'autre travaille dans un grand hôtel de la ville et sa fille a fait un beau mariage. Mais Elie, lui, chaque soir, prend place dans son vieux canapé et attend le client…

TV5 – Cultures du monde – Cités du monde – Beyrouth

	V	F	?			V	F	?
1 Elie Khoury est gardien à l'université.	☐	☐	☐	**5** Cela lui rapporte 7 500 dollars par mois.	☐	☐	☐
2 Il travaille de nuit jusqu'à 3 heures du matin.	☐	☐	☐	**6** Il a cinq enfants.	☐	☐	☐
3 Avant, il était propriétaire d'une parfumerie.	☐	☐	☐	**7** Une de ses filles, avocate, est née en 1969.	☐	☐	☐
4 Maintenant, il loue des chambres.	☐	☐	☐	**8** Elle s'est mariée à Paris.	☐	☐	☐

2 🗨️📖 **Lis la biographie de Camille Claudel ! Puis complète les phrases !**

Camille Claudel

Camille Claudel (1864-1943) est une sculptrice française, sœur du poète et écrivain Paul Claudel. Depuis l'enfance, elle est passionnée par la sculpture et commence très tôt à travailler la glaise. À 17 ans, elle part s'installer à Paris pour suivre des cours de sculpture à l'académie Colarossi, une école artistique fondée par un sculpteur italien.

En 1883, elle devient l'élève d'Auguste Rodin, le célèbre sculpteur du *Penseur*. Elle travaille avec lui à des œuvres célèbres comme *la Porte de l'Enfer*. Elle vit une relation passionnée avec le sculpteur qu'elle quitte pourtant en 1898.

Elle n'arrive pas à se remettre de cette séparation et s'enferme dans la solitude. Elle sombre peu à peu dans la folie. Deux expositions de ses œuvres sont organisées avec succès, mais Camille Claudel est déjà très malade. En 1913, sa famille décide de la placer dans un hôpital psychiatrique. C'est dans cet hôpital qu'elle passera les trente dernières années de sa vie.

Camille Claudel a toujours voulu faire de la **(1)** .... En 1881, elle suit des cours dans une **(2)** ....
et devient deux ans plus tard **(3)** l' .... d'Auguste Rodin, l'auteur du **(4)** .... Elle réalise avec lui
certaines **(5)** .... célèbres. Elle quitte en 1898 le sculpteur avec qui elle a eu une **(6)** .... passionnée.
Elle sombre dans la **(7)** .... et la **(8)** .... , malgré le succès de deux **(9)** .... de
ses sculptures. En 1913, elle entre dans un **(10)** .... où elle restera jusqu'à la fin de
sa vie.

Production écrite (25 points)

1 🗨️✏️ **Rédige un texte sur un lieu (maison, jardin, etc.) de ton enfance ! Décris-le, raconte ce que tu y faisais (visite à la famille, jeux, etc.) et qui tu voyais (grands-parents, cousins, etc.) ! (100-120 mots)**

Je me souviens d'une maison (d'un jardin, d'une cour) **...** Dans la (les) pièce(s), il y avait **...** Les murs étaient **...** C'est là que **...** On avait l'habitude de **...**

2 🗨️✏️ **Tu désires organiser une exposition, un défilé de mode ou un concert. Tu écris au directeur (à la directrice) d'une grande salle pour lui décrire ton projet et lui demander de louer cette salle ! (100 mots)**

Monsieur (Madame) **...** J'aimerais organiser **...** Je souhaiterais que **...** Si cela était possible, quel serait **...** ?
Dans l'attente de votre réponse, je vous prie d'agréer, Monsieur (Madame), mes salutations les meilleures.

Production et interaction orales (25 points)

1 🗨️💬 **Parle des musiques que tu écoutes (ou que tu joues) et des chanteurs (-euses) que tu aimes !**

La musique (les musiques) que je préfère c'est **...** parce que **...** J'écoute mes chanteurs préférés sur **...** Je chante (j'aimerais chanter) comme **...** Je joue (j'aimerais jouer) d'un instrument de musique **...**

2 🗨️💬 **Tu veux t'inscrire au conservatoire de musique. Tu n'es pas encore sûr(e) de l'instrument que tu voudrais jouer. Tu t'entretiens avec le (la) responsable (= ton professeur) pour mieux te décider !**

Bonjour ! J'aimerais apprendre à jouer du (de la, des) **...** parce que **...** – C'est une bonne idée, mais il y a aussi le (la) **...**

On s'entraide…

1 🔊📖💬 **Écoute et lis ! Que font Max, Agathe et Théo ? Pourquoi ? Repère ensuite dans le texte les éléments soulignés. Fais-en une liste ! Ils sont au conditionnel passé. Explique la formation de ce temps !**

Image 1

Agathe : Léa ? <u>Tu aurais dû</u> venir nous aider plus tôt !

Léa : <u>Vous auriez pu</u> me dire que vous aviez besoin d'aide !

Image 2

Max : Je t'ai appelée ce matin. Je t'ai même laissé un message !

Léa : Je **n'**ai entendu **ni** mon réveil **ni** mon téléphone ! Si je n'avais pas dû réécrire ton article sur Haïti hier soir, <u>je ne me serais pas couchée</u> si tard ! Qu'est-ce que vous faites ? Des décorations ou des paquets-cadeaux ?

Image 3

Agathe : **Ni** décorations, **ni** paquets-cadeaux : ce sont des lots pour une tombola qu'on organise au collège. On enverra l'argent à une association de Port-au-Prince.

Léa : <u>J'aurais aimé</u> me rendre utile, mais je **ne** sais **ni** bricoler, **ni** coudre, **ni** dessiner. Qu'est-ce que je pourrais faire ?

Image 4

Théo : Moi, à ta place, <u>j'aurais déjà mis</u> de la musique !

Max : Moi, à ta place, <u>j'aurais déjà fait</u> les courses et apporté des boissons !

Agathe : Et moi, à ta place, <u>j'aurais déjà préparé</u> des sandwichs !

Image 5

Léa : Il **n'**y aura **ni** musique, **ni** boissons, **ni** sandwichs ! Je suis trop fatiguée ! Si j'avais su, <u>je ne serais pas venue</u> !

2 🔊📖💬 **Le conditionnel passé → Regarde l'exemple et transforme les phrases ! Puis écoute le CD pour vérifier tes réponses ! Quelles phrases expriment un regret ? Quelles phrases expriment un reproche ?**

Exemples : **a)** Je ne me suis pas rendue utile. (aimer) → J'**aurais aimé** me <u>rendre</u> utile ! (= *regret*)
b) Les amis ne m'ont pas dit qu'ils avaient besoin d'aide. (pouvoir) → Les amis **auraient pu** me <u>dire</u> qu'ils avaient besoin d'aide ! (= *reproche*)

1 Max ne m'a pas rappelée. (devoir) → Max aurait **…** !

2 Théo n'a pas fait les courses. (pouvoir) → Théo aurait **…** !

3 Je n'ai pas aidé les amis. (vouloir) → J'aurais **…** !

4 Mais ils n'ont pas été sympas avec moi. (devoir) → Mais ils auraient **…** !

5 Je ne suis pas restée chez moi. (préférer) → J'aurais **…** !

Participes passés (rappel)
devoir → dû
pouvoir → pu
vouloir → voulu

3 📖💬 **La construction** *si* + **plus-que-parfait** + **conditionnel passé** → **Regarde bien les exemples et transforme les phrases !**

Léa continue d'exprimer ses regrets...

Exemples : a) J'ai dû réécrire l'article sur Haïti. Sinon, je ne me serais pas couchée si tard. → **Si je <u>n'avais pas</u>** dû réécrire l'article sur Haïti, je ne me serais pas couchée si tard.

b) Je <u>n'</u>ai <u>pas</u> su. Sinon, je ne serais pas venue. → **Si j'avais su**, je ne serais pas venue.

1 Je <u>n'</u>ai <u>pas</u> entendu mon réveil. Sinon, je me serais levée plus tôt. →

2 Je <u>n'</u>ai <u>pas</u> su que le collège organisait une tombola. Sinon, moi aussi j'aurais préparé des lots. →

3 Je <u>n'</u>ai <u>pas</u> appris à coudre. Sinon, j'aurais pu faire de la couture. →

4 Je <u>n'</u>ai <u>pas</u> pu bricoler. Sinon, j'aurais aimé créer des objets. →

5 Je me suis couchée tard. Sinon, j'aurais été moins fatiguée. →

6 Et puis, les amis se sont moqués de moi. Sinon, j'aurais été de bonne humeur ! →

4 💬 **Loisirs** → **Écoute et associe ! Tu as deux écoutes !** Exemple : 1-A

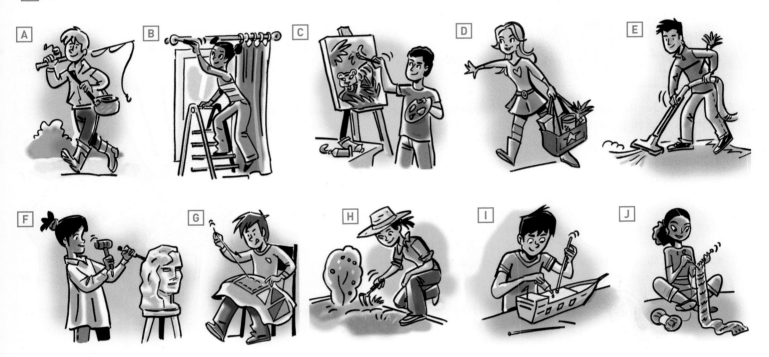

5 📖💬 **La négation** *ne (n')* ... *ni* ... *ni* ... → **Regarde les exemples et mets les phrases à la forme négative !**

Exemples : 1 Théo et Max ont été sympas. → **Ni** Théo **ni** Max **n'**ont été sympas.

2 Léa a entendu le réveil et le téléphone. → Léa **n'**a entendu **ni** le réveil **ni** le téléphone.

3 Elle sait bricoler et coudre. → Elle **ne** sait **ni** bricoler **ni** coudre.

4 Il y aura des boissons et des sandwichs. → **a)** Il **n'**y aura **pas de** boissons **ni de** sandwichs. → **b)** Il **n'**y aura **ni** boissons **ni** sandwichs.

1 Sa mère et sa sœur tricotent. →

2 Tu fais le ménage et les courses. →

3 Moi, j'aime peindre et dessiner. →

4 Aujourd'hui, il y avait des mangues et des ananas au marché. (deux solutions) →

5 Il peut construire et réparer une maquette. →

6 Pour la fête, il y aura des glaces et des sodas. (deux solutions) →

7 Je regarde les sculptures et les tableaux. →

8 La pêche et le jardinage sont mes loisirs préférés. →

On s'entraide...

PROJET : PARTICIPER À UNE ACTION SOLIDAIRE

Tu veux te rendre utile ? Tu veux aider des personnes en difficulté près de chez toi ou dans un pays lointain ? Tu veux faire de nouvelles connaissances ? Alors, participe à une action solidaire !

1 🗨️📖❓💬🗣️❗ **Quels sont tes loisirs préférés ? Note-les sur une feuille par ordre de préférence et compare avec ton voisin ou ta voisine !**

Aller au cinéma – aller au concert – aller à la pêche – aller voir un match – aller au théâtre – aller voir une exposition – chanter – construire des maquettes (bateaux, avions, etc.) – créer une vidéo – dessiner – écouter de la musique – envoyer des SMS sur mon téléphone portable – faire du bricolage – faire de la couture – faire la cuisine – faire du jardinage – faire du jogging – faire de la randonnée – faire du roller – faire du skateboard – faire du sport – faire du vélo – jouer avec mon animal de compagnie – jouer à des jeux vidéos – jouer de la musique – lire – peindre – me promener – regarder la télévision – ne rien faire – sculpter – surfer sur Internet – téléphoner à mes amis – tricoter – **...**

2 💬🗨️ **Quelles sont les actions solidaires (et bénévoles) que tu mènes déjà ou que tu pourrais mener ? Note-les !** Elles correspondent peut-être à tes loisirs ?

1 Chez des personnages âgées, malades ou handicapées :

Faire du bricolage chez eux – faire leur ménage – faire des travaux (de peinture, par exemple) – faire leurs courses – faire du jardinage pour eux – jouer aux cartes avec eux – surfer sur Internet, jouer à des jeux vidéos ou regarder la télévision avec eux – leur faire entendre de la musique – leur faire la lecture (livres, journaux, etc.) – préparer leur repas – se promener avec eux dans la ville ou dans un parc – leur faire faire du sport – s'occuper de leurs animaux de compagnie – **...**
As-tu d'autres idées ? **...**

2 Pour des associations caritatives ou humanitaires :

Correspondre avec des jeunes d'autres pays qui ont besoin d'aide – coudre, réparer ou donner des vêtements – créer des objets (sculptures, jouets, etc.) avec des matériaux de récupération[1] – dessiner ou peindre des cartes (de vœux) – donner des livres – donner une partie de mon argent de poche – parrainer[2] des enfants dans d'autres pays du monde – travailler sur des chantiers[3] (fouilles, reconstruction, reboisement, etc.) – faire connaître et/ou diffuser des produits du commerce équitable[4] – organiser une tombola – **...**
As-tu d'autres idées ? **...**

3 🗨️📖💬🗨️ **Choisis une (nouvelle) action à laquelle tu souhaiterais participer !**

4 🗨️🖊️ 💬🗨️ **Présente cette action en français sur un poster à afficher dans la classe ou sur le site Internet de ton collège !**

Explique les objectifs de cette action et comment tu comptes la réaliser ! Convaincs tes camarades de se joindre à toi !

---

1. matériaux de récupération : *matériaux réutilisés* – 2. parrainer : *sponsoriser* – 3. chantiers : *lieux où on fait des travaux* – 4. commerce équitable : *fair trade*

🎧 📖 💬 **Écoute Léa et Max lire la page web qu'ils ont écrite, puis réponds aux questions !**

HAÏTI

Superficie : 27 750 km²

Capitale : Port-au-Prince

Villes principales :
Port-au-Prince, Cap-Haïtien, Carrefour, Jacmel, Les Cayes, Gonaïves, etc.

Population : 10 millions d'habitants

Régime politique : république

Langues officielles : créole haïtien, français

Haïtiens célèbres : Jacques Roumain, Jacques-Stephen Alexis, René Depestre, Jean Métellus (écrivains), Jean-Michel Basquiat (peintre), Anthony Kavanagh Jr (comédien), etc.

| Accueil | Dossiers | Carnets de voyage | Infos | Livres |

L'art haïtien et le vaudou

Haïti occupe la partie ouest d'*Hispaniola*, d'après le nom donné à l'île par Christophe Colomb quand il y débarque en 1492. Quelques années plus tard, les Indiens sont mis en esclavage et disparaissent peu à peu, victimes du travail forcé, des persécutions et des maladies. En 1607, il en reste à peine un millier sur une population d'un demi-million à l'arrivée de Colomb.

« Drapo vaudou »

Devenue possession française d'outre-mer, la colonie importe massivement des esclaves d'Afrique : les plantations de café et de canne à sucre ont besoin d'une main d'œuvre très importante. Les esclaves africains apportent leurs religions et leurs croyances ; parmi elles le *vaudou* avec ses figures symboliques, ses chants, ses danses, ses superstitions et ses esprits surnaturels, les *loas*, qui vivraient, dit-on, dans la mer, dans les rivières ou encore dans les montagnes, les rochers, les sources et les arbres.

Pour orner les autels du culte *vaudou*, on fabrique des drapeaux (*drapo*), cousus de milliers de perles et de paillettes, sur lesquels sont représentés les esprits et les divinités.

Les artistes haïtiens du *bosmétal* travaillent sur un matériau de récupération : ils découpent du fer dans de vieux bidons de fuel (les *dwoums*) et représentent eux aussi des génies, des démons et d'autres créatures mythiques : des sirènes, des dragons ou des vampires…

Les peintres de la « peinture naïve » haïtienne actuelle reprennent également les images et les figures du *vaudou*. Ils y ajoutent des paysages d'Haïti et des scènes de la vie quotidienne et donnent ainsi de leur pays une image très colorée !

« Bosmétal »

Art naïf haïtien: Scène de village

1 Qui a « découvert » l'île d'*Hispaniola* ? Comment s'appelle maintenant la partie ouest de l'île ? Quelle est sa capitale ?

2 Le créole (*kreyòl*) est une des langues officielles en Haïti. Reconnais-tu les adjectifs de nationalité suivants en créole ? *ayisyen – kanadyèn – fransè – anglèz*

3 Pourquoi des esclaves ont-ils été importés d'Afrique jusqu'en Haïti ?

4 Qu'est-ce que le *vaudou* ? Que représentent les *loas* ?

5 Sur quels objets les *loas* peuvent-ils être reproduits ?

6 Décris les trois photos de cette page (personnages, couleurs, paysages) !

7 Trouve (dans une encyclopédie ou sur Internet) la définition « d'art naïf » ! Y a-t-il dans ton pays des artistes qu'on pourrait appeler « peintres naïfs » ?

8 Trouve (dans une encyclopédie ou sur Internet) le nom d'un « peintre naïf » français (1844-1910) et présente une de ses œuvres !

On s'entraide…

Unité 10 LEÇON 4

Gouverneurs de la rosée de Jacques Roumain

Jacques Roumain (1907-1944) est un écrivain haïtien de langue française, né et mort à Port-au-Prince. Il part étudier en Belgique, en Suisse, en France et en Allemagne. Il revient en Haïti et commence à publier des poèmes et des nouvelles à l'âge de 20 ans.

Très actif contre la présence américaine en Haïti (entre 1915 et 1934), engagé politiquement, il est souvent arrêté et contraint finalement à l'exil. Après un changement de gouvernement en 1941, il est autorisé à revenir dans son pays natal : il fonde peu après le Bureau national d'ethnologie et publie *Gouverneurs de la rosée*. Il décrit dans ce roman les dures conditions de vie des paysans haïtiens.

Bienaimé et Délira, un vieux couple de paysans haïtiens, attendent depuis quinze ans le retour de leur fils Manuel, parti travailler à Cuba. Rentré au pays, Manuel découvre son village divisé par des querelles[1] et des désirs de vengeance. De plus, les sources se sont asséchées[2] et le village s'est appauvri[3]. Avec courage et obstination[4], Manuel part à la recherche d'une source. Il finit par trouver l'eau et essaie de réconcilier les familles rivales[5].

5   *Au moment d'y parvenir, il est victime d'un guet-apens[6] et meurt. Mais sa mort sera le « recommencement de la vie » : les habitants du village, réconciliés, ont décidé de construire ensemble un canal d'irrigation depuis la source découverte par Manuel. Délira et sa belle-fille Annaïse, dont Manuel était tombé amoureux dès son retour, vont voir les travaux…*

   Ces derniers jours, les habitants travaillent à la source même, à la tête de l'eau, comme ils disent. Ils ont
10 suivi point par point les indications de Manuel. Il est mort, Manuel, mais c'est toujours lui qui guide.

   Quelqu'un entre dans la cour de Délira : c'est Annaïse.

   – Bonjour, maman. Gille m'a dit qu'ils vont lâcher l'eau dans le canal aujourd'hui. Si on allait voir ? C'est un grand événement, a dit Annaïse.

   – Comme tu voudras, chère, a répondu Délira.

15   Elles sont montées vers la colline. Délira allait lentement à cause de son âge. Annaïse marchait derrière elle.

   – Je n'irai pas jusqu'au plateau, a dit Délira. Voici un gros rocher qui me servira de banc.

   Les deux femmes se sont assises. La plaine était couchée à leurs pieds dans la chaleur de midi. À leur droite, elles apercevaient les cases[7] de *Fonds-Rouge* et la tache rouillée de leurs jardins. La savane[8]

1. la querelle : *dispute*
2. s'assécher : *devenir sec*
3. s'appauvrir : *devenir pauvre*
4. l'obstination (f.) : *persévérance*
5. rival : *ennemi*
6. le guet-apens : *piège*
7. la case : *maison très simple, cabane*
8. la savane : *grande prairie des régions tropicales*

9. l'esplanade (f.) : grande place
10. le sillon : tranchée
11. la rigole : petit fossé qui sert à l'écoulement de l'eau
12. aride : sec
13. la patate : tubercule à chair rosée et sucrée
14. l'igname : tubercule à chair blanche
15. la clameur : ensemble de cris
16. la lame : bande plate et mince (de métal)

20 s'étendait comme une esplanade[9] de lumière violente. Mais à travers la plaine courait le sillon[10] du canal. Et si on avait de bons yeux, on pouvait voir dans les jardins la ligne des rigoles[11] préparées.

– C'est là qu'ils sont, a dit Annaïse, tendant le bras vers la vallée. C'est là qu'ils travaillent.

On entendait le battement du tambour et les hommes chantaient.

– Tu entends, maman ?

25 – J'entends, a dit Délira.

Bientôt, cette plaine aride[12] se couvrirait d'une haute verdure ; dans les jardins pousseraient les bananiers, le maïs, les patates[13], les ignames[14], les lauriers roses et les lauriers blancs, et se serait grâce à son fils. Le chant s'est soudain arrêté.

– Qu'est-ce qui se passe ? a demandé Délira.

30 – Je ne sais pas, non.

Et puis une clameur[15] a jailli. Les femmes se sont levées.

Les habitants lançaient leurs chapeaux en l'air, ils dansaient, ils s'embrassaient.

– Maman, dit Annaïse d'une voix étrangement faible. Voici l'eau.

Une mince lame[16] d'argent s'avançait dans la plaine...

D'après *Gouverneurs de la rosée*, Jacques Roumain, 1944

Écoute et lis ! Puis réponds !

1 À quel âge Jacques Roumain a-t-il écrit son roman *Gouverneurs de la rosée* ? L'a-t-il écrit vers la fin de sa vie ?

2 Qui est *Manuel* ? Que représentent pour lui *Bienaimé*, *Délira* et *Annaïse* ?

3 Combien de temps *Manuel* est resté à Cuba ? Que s'est-il passé pendant ce temps-là au village ?

4 Annaïse dit *maman* à sa belle-mère. Pourquoi, selon toi ? Parce que c'est simplement la tradition en Haïti ? Parce qu'Annaïse veut montrer à sa belle-mère qu'elle l'aime bien et qu'elle est comme une fille pour elle ?

5 Après la mort de Manuel, les habitants du village se sont réconciliés. Relève dans le texte les mots et les phrases qui montrent cette réconciliation.

6 Qu'est-ce que les habitants du village ont décidé de construire ensemble ? Pourquoi ?

7 Décris le paysage autour du village de *Fonds-Rouge*. Comment l'imagines-tu dans quelques mois ?

8 De quoi parle ce roman, selon toi ? Des dures conditions de vie des paysans haïtiens ? De haine ? D'espoir ? De solidarité ?

Unité **10** On récapitule !

Communication

Tu sais maintenant…

■ **exprimer un regret :**

J'aurais aimé me rendre utile !

■ **exprimer un reproche :**

Ils auraient pu me dire qu'ils avaient besoin d'aide !

■ **exprimer une hypothèse qui n'a plus aucune chance de se réaliser :**

Si j'avais su, je ne serais pas venue.

■ **exprimer une proposition :**

Si on allait voir ?

■ **exprimer un accord :**

Comme tu voudras !

Vocabulaire

Loisirs

l'association (f.)	les courses (f. pl.)	le lot (de tombola)	la pêche (à la ligne)
le bidon (de fuel)	la couture	la maquette	le réveil
le bricolage	le jardinage	le match	la tombola
les connaissances (f. pl.)	la lecture	le ménage	

Croyances et autres

l'autel (m.)	le culte	l'esprit (m.)	la religion
le canal	le démon	le génie	le rocher
la créature	la divinité	le paysan	la source
la croyance	le drapeau (pl. -eaux)	la perle	la superstition

Persécutions

l'esclavage (m.) (U 6)	la main d'œuvre	le travail forcé	la victime
l'esclave (m. ou f.)	la persécution		

Verbes

apporter	se coucher	s'embrasser	occuper
s'avancer	coudre	s'entraider	pousser (plantes)
bricoler	se couvrir	s'étendre	se réconcilier
construire	débarquer	guider	réécrire
convaincre	découper	importer	tricoter

Adjectifs et adverbe

bénévole	haïtien(ne) (Haïti)	mythique	surnaturel(le)
coloré(e)	massivement	naïf (naïve)	symbolique

Locutions

de bonne humeur	de mauvaise humeur	à ma (ta, sa, notre, votre, leur) place

Grammaire

Le conditionnel passé

■ *Il se forme avec* avoir *ou* être *au conditionnel présent et le participe passé du verbe.*
J'aurais fait les courses.
Rappel : être *est utilisé avec les verbes pronominaux et avec* aller, venir, arriver, partir, monter, descendre, entrer, sortir, rester, passer, retourner, tomber, *etc.*
Avec être, *le participe passé s'accorde avec le sujet.*
Je **me serais levée** plus tôt.

■ *Le conditionnel passé sert à exprimer un regret* **(1)** *ou un reproche* **(2)** :
1 J'aurais aimé me rendre utile !
2 Ils auraient pu me dire qu'ils avaient besoin d'aide !

si + plus-que-parfait + conditionnel passé

Cette construction exprime une **hypothèse** *qui n'a plus aucune chance de se réaliser.*
Si j'avais entendu mon réveil, je me serais levée plus tôt.
Si j'avais pu bricoler, j'aurais aimé créer des objets.
Le verbe de la subordonnée, introduit par si *est au plus-que-parfait, le verbe de la phrase principale est au conditionnel passé.*

La négation *ne (n') ... ni ... ni*

La négation d'au moins deux éléments de phrase liés par et *ou bien* ou *peut être exprimée par* ne (n') ... ni ... ni.

■ ne (n') ... ni ... ni *peut s'utiliser avec plusieurs sujets :*
Théo n'a pas été sympa et Max non plus.
Ni Théo **ni** Max n'ont été sympas.

■ ne (n') ... ni ... ni *peut s'utiliser avec plusieurs compléments (COD, COI, etc.) :*
Léa n'a pas entendu le réveil et le téléphone non plus.
Elle **n'**a entendu **ni** le réveil **ni** le téléphone.

■ ne (n') ... ni ... ni *peut s'utiliser avec plusieurs verbes :*
Elle ne sait pas bricoler et elle ne sait pas coudre non plus.
Elle **ne** sait **ni** bricoler **ni** coudre.

■ *Avec l'article partitif :*
Il n'y aura pas de boissons et pas de sandwichs non plus.
Deux solutions :
1 Il **n'**y aura **pas de** boissons **ni de** sandwichs.
2 Il **n'**y aura **ni** boissons **ni** sandwichs.

Culture et civilisation

Haïti et ses couleurs...

Dans les rues de Cap-Haïtien

Peinture naïve

Tap-tap (bus)

Carnaval

Quelles « couleurs » préfères-tu ? Pourquoi ?

Trouve des photos qui représenteraient les « couleurs » de ton pays !

Sports et saisons

1 Écoute et lis ! Quels sports pratiquent Huong Lan et Félix ? Connais-tu tous les sports cités ? Puis repère les expressions soulignées et fais-en une liste ! Explique comment elles sont construites !

Image 1

Joséphine : Salut, Félix ! On joue au foot au Québec ?

Félix : Oui, chez nous ça s'appelle *soccer* !

Image 2

Huong Lan : Tu es quelqu'un **de** très sportif ?

Félix : Oui ! C'est **parce que** mon père nous a fait faire beaucoup de sport à moi pis[1] à mes frères.

Image 3

Huong Lan : Moi je fais du basket. Et toi ?

Félix : **Comme** il neige au Québec six mois par an, je fais aussi beaucoup de ski ou de raquette[2]. Certains **de** mes amis font de la motoneige : mais moi, quand il fait *frette*[3] et qu'il y a de la *poudrerie*[4], j'ai le goût[5] de faire des randonnées de traîneau à chiens, c'est quelque chose **d'**extraordinaire !

Image 4

Huong Lan : De la « poudrerie » ?

Félix : Oui... ça n'est rien **de** spécial : c'est juste de la neige soulevée par le vent !

Joséphine : **Puisque** tu aimes le froid, tu devrais aimer le canot à glace et le rafting ?

Image 5

Félix : Ben... alors qu'il y a des gens qui adorent se jeter dans l'eau glacée, moi je préfère *ouatcher*[6] une bonne *joute*[7] de hockey ou de baseball à la télé ! Bon, je dois y aller ! Salut !

Image 6

Huong Lan : Je ne comprends pas tout ce qu'il dit, mais il est trop cool !

2 Les pronoms indéfinis avec *de (d')* + adjectif → Complète à l'oral avec *aucune, personne, quelque chose, quelqu'un, quelques-unes* ou *rien* ! Puis écoute le CD pour vérifier tes réponses !

1 Les filles ? Dans la classe, il y en a **...** de sympas.

2 Mais il n'y en a **...** de très intéressante.

3 Huong Lan, elle, est **...** de super !

4 Je ne connais **...** d'aussi agréable qu'elle.

5 Et elle a aussi **...** de mystérieux.

6 L'inviter à boire un coca ? Ça n'aurait **...** d'impossible, non ?

Félix utilise de temps en temps des mots ou des expressions de français québécois : 1. pis : *et puis* – 2. raquette à neige – 3. frette : *froid* – 4. la poudrerie : *neige soulevée et poussée par le vent* – 5. j'ai le goût : *j'ai envie* – 6. ouatcher : *regarder* – 7. la joute : *partie, match*

3 🔊📖💬 **Les pronoms indéfinis avec** *de (d')* **+ nom ou** *d'entre* **+ pronom → Complète à l'oral avec** *aucun, certains, pas une, plusieurs* **ou** *quelques-uns* **! Puis écoute le CD pour vérifier tes réponses !**

1 ... de mes copines n'a eu la chance comme moi de parler à Félix !

2 Il m'a parlé de ... des sports qu'il pratique.

3 ... de mes amis font aussi du ski ou de la raquette à neige.

4 Mais ... d'entre eux ne conduit de traîneau à chiens !

5 Je n'ai pas compris ... des mots que Félix a utilisés, mais je le trouve vraiment sympa !

4 🔊📖💬 **Relie d'abord les noms de sports aux images ! Puis écoute et associe les images aux noms des lieux où ces sports sont pratiqués ! Tu as deux écoutes ! Exemple :** 5-A

le baseball	le canot à glace	le hockey sur glace	la motoneige	le rafting
la raquette (à neige)	le ski	le snowboard	le soccer*	le traîneau à chiens

A le circuit	**B** l'eau vive	**C** le fleuve	**D** ni route ni piste	**E** la patinoire
F la piste	**G** le sentier	**H** le stade	**I** le terrain	**J** le snowpark

5 🔊📖💬 **Les conjonctions** *parce que (qu')*, *comme* **ou** *puisque (puisqu')* **→ Complète à l'oral !**

1 – ... la motoneige ne nécessite ni route ni piste, c'est un moyen de transport idéal pour circuler en hiver.

2 – Moi, je n'aime pas la motoneige ... elle ne respecte pas la nature.

3 – ... tu es un amoureux de la nature, tu devrais faire du traîneau à chiens !

4 – Non, je ne le souhaite pas ... ces courses peuvent être une dure épreuve pour les chiens !

5 – Alors, ... tu aimes les grands espaces, fais de la raquette à neige !

6 – D'accord ! Et ... j'aimerais bien que tu m'accompagnes, je t'invite à faire de la raquette avec moi !

> **L'expression de la cause**
> ■ La subordonnée avec *parce que* se trouve <u>après</u> la principale.
> ■ La subordonnée avec *comme* est toujours <u>avant</u> la principale. La cause n'est connue que du locuteur.
> ■ La subordonnée avec *puisque* est souvent <u>avant</u> la principale. La cause est connue des interlocuteurs.

* le soccer ou *football*. À ne pas confondre avec le *football américain* ou le *football canadien*.

Sports et saisons

PROJET : FAIRE UN REPORTAGE SPORTIF

Tu veux jouer au reporter sportif ? Réalise un reportage seul(e) ou avec tes ami(e)s sur une prochaine manifestation sportive dans ton collège (ton lycée), ton quartier, ta ville ou ta région !

1 **Lis les questions et écris les réponses sur une feuille ! Compare-les avec celles de ton voisin ou de ta voisine !**

1 Quels sont les sports qui sont proposés par ton collège ou ton lycée ? **...**

2 Quels sont tes sports préférés ou ceux que tu voudrais pratiquer ? **...**

3 Quels sont les sports ou quel est le sport que tu pratiques vraiment ? **...**

2 **Planifie ton reportage !** Invite si tu le souhaites un(e) ou plusieurs camarades à préparer et réaliser le reportage avec toi !

1 Ton collège ou ton lycée va-t-il bientôt organiser une manifestation sportive ? Si oui laquelle ? **...**

2 Sinon va consulter un journal ou va sur Internet pour connaître le programme des manifestations sportives à venir dans ton quartier, dans ta ville ou dans ta région ! Choisis la manifestation à laquelle tu pourras assister ou que tu pourras suivre à la télévision ! **...**

3 Note la date et l'endroit où aura lieu la manifestation sportive ! **...**

Sports
aïkido – athlétisme – badminton – baseball – basket-ball – bateau-dragon – boxe – canot à glace – canyoning – capoeira – char à voile – danse – équitation – escalade – escrime – football – golf – gymnastique – handball – hockey – jogging – judo – karaté – kayak – moto – motoneige – natation – parapente – patinage – ping-pong – planche à voile – rafting – raquette à neige – roller – rugby – skateboard – ski – snowboard – spéléologie – sumo – surf – tai-chi-chuan – tennis – traîneau à chiens – vélo – voile (bateau) – volley-ball, etc.

3 **Fais des recherches !**

Tu as choisi une manifestation sportive qui aura lieu dans ton collège, dans ton quartier, dans ta ville ou dans ta région.

1 Renseigne-toi sur le nom des joueurs (joueuses), des sportifs (sportives) ! **...**

2 Renseigne-toi sur le nom du sélectionneur, de l'entraîneur ou du coach ! **...**

3 Fais des recherches sur l'histoire de ce sport : Quand a-t-il été créé ? Par qui ? Dans quel pays ? Quels sont ses champions ou ses championnes les plus célèbres ? (Demande l'aide de ton professeur de sport !) **...**

4 **Réalise ton reportage !**

1 Présente-toi à l'avance le jour de la manifestation sportive et interviewe les sportifs et l'entraîneur ! Pose-leur des questions en français (et traduis-les après) ! *Vous êtes en forme ? Que pensez-vous des joueurs de l'autre équipe ?* etc.

2 Si cela est possible, prends des photos ou réalise une vidéo pendant la compétition, le match ou l'épreuve (avec l'autorisation des joueurs) !

3 Prends des notes sur ce qui se passe et écris tes impressions ! *Le match est équilibré. Les joueurs sont excellents. Le sportif X n'est pas en forme,* etc.

4 Note le score ! 3 – 0 : *L'équipe Z a gagné trois à zéro.* Ou bien 1 - 1 : *Les deux équipes ont fait match nul !*

5 **Présente ton reportage à ta classe ou diffuse-le sur Internet !**

1 Présente la compétition ou le match que tu as vus : *J'ai assisté au Centre Bell au match de hockey sur glace entre l'équipe des Canadiens de Montréal et celle des Maple Leafs de Toronto. Le match a été passionnant : les meilleurs joueurs étaient là. Voici l'extrait d'une vidéo qui montre le meilleur moment du match,* etc.

2 Participe au concours du meilleur reportage sportif de la classe ou du collège (du lycée) !

Bonne chance !

1 📱 😀📖 💬 **Écoute Félix lire ce qu'il a écrit ! Puis réponds aux questions !**

Les saisons au Québec

Pour nous, l'hiver c'est important ! Quand les Français sont venus peupler la colonie de la *Nouvelle-France* au XVIIe siècle, ils ont appris à s'équiper contre le froid, mais aussi à en profiter : plus de 350 hivers plus tard, le ski, le hockey sur glace, la raquette, le traîneau à chiens ou la motoneige font maintenant partie de nos sports d'hiver préférés.

Alors que tout le monde est *tanné*[1] de l'hiver, le printemps apporte la *slotche*[2] dans les rues ! Mais il apporte aussi *le temps des sucres* : on recueille la sève des érables et on en fait un sirop, le sirop d'érable. Entre *chums*[3], on va dans une *cabane à sucre* pour manger des crêpes et de la *tire*[4] sur la neige !

La «tire»

En été, **tandis que** la chaleur revient avec le mois de juin, les *maringouins*[5] envahissent les forêts. En août, quand les *maringouins* sont partis (!), on va cueillir les *bleuets*[6] et faire des randonnées.

En octobre, **alors que** l'hiver va s'installer, on peut encore se promener dans les forêts aux couleurs éclatantes de l'*été indien* ou observer l'arrivée des oiseaux qui reviennent du Grand Nord. Moi, je trouve que l'automne est la plus belle des saisons !

Puis revient l'hiver... **Tandis qu'**il fait *frette* dehors, on *magasine*[7] bien au chaud dans les *mails*[8]. On peut aussi pratiquer la *pêche blanche*, c'est-à-dire pêcher sur la glace des lacs et des rivières dans des petites cabanes. *C'est le fun*[9] !

Les couleurs de « l'été indien »

Les « bleuets »

LE CANADA

Superficie : 9 984 670 km²
Capitale : Ottawa
Villes principales : Toronto, Montréal, Vancouver, Calgary, Ottawa, Québec, etc.
Population : 35 millions d'habitants
Régime politique : démocratie parlementaire, État fédéral
Langues officielles : anglais, français

LE QUÉBEC :
Province du Canada
Superficie : 1 542 056 km²
Capitale : Québec
Population : 8 millions d'habitants dont 80 % de francophones
Canadiens et québécois célèbres : Jacques Cartier (marin), Anne Hébert, Antonine Maillet, Michel Tremblay (écrivains), Félix Leclerc, Gilles Vigneault, Céline Dion, Linda Lemay (chanteurs), Jacques Villeneuve (pilote automobile), Le Cirque du Soleil, etc.

1 Qu'est-ce que la *Nouvelle-France* ? Un nouveau régime politique en France ? Une colonie française en Amérique du Nord au XVIIe siècle ?

2 Qu'est-ce qui est représenté au centre du drapeau canadien ? Une fleur de lys ? Une feuille d'érable ? Une fleur de *bleuet* ?

3 Explique ce qu'on peut faire au Québec en hiver, au printemps, en été et en automne !

4 En quelle saison aimerais-tu visiter le Québec ? Pourquoi ?

5 « Mon pays, ce n'est pas un pays, c'est l'hiver ! » a dit le poète et chanteur québécois Gilles Vigneault. Et toi, comment pourrais-tu « résumer » ton pays ?

2 😀📖 💬 **Les conjonctions *alors que* et *tandis que* → Complète à l'oral !**

1 Il y a eu une tempête **...** l'hiver n'avait pas commencé.

2 Il s'est mis à neiger **...** nous rentrions à la maison.

3 Le printemps est le temps des sucres **...** l'automne est celui des couleurs.

4 Moi, je pars travailler **...** toi, tu restes bien au chaud à la maison !

- *alors que* et *tandis que* marquent la simultanéité
- *alors que* peut aussi marquer la comparaison
- *tandis que* peut aussi marquer l'opposition

Félix utilise des mots ou des expressions de français québécois : 1. tanné : *fatigué* – 2. la slotche (ou sloche) : *neige fondue et salie* – 3. le chum : *ami* – 4. la tire : *caramel* – 5. le maringouin : *moustique* – 6. le bleuet : *myrtille* – 7. magasiner : *faire ses courses* – 8. le mail : *centre commercial* – 9. C'est le fun ! : *C'est super !*

Sports et saisons

Les fous de Bassan de Anne Hébert

Anne Hébert (1916-2000) est une romancière, poète et scénariste québécoise de langue française. Elle grandit, étudie et vit à Québec. Elle travaille pour des émissions de Radio-Canada et écrit des scénarios pour l'Office national du film. Elle est élue membre de la Société Royale du Canada, une organisation composée d'hommes et de femmes célèbres pour leurs travaux sur les arts, les lettres et les sciences.

Elle part vivre à Paris en 1965. Elle y reste plus de 30 ans mais retourne souvent au Québec. Elle publie des poèmes et des pièces de théâtre et connaît le succès avec des romans comme *Kamouraska* ou *Les fous de Bassan*. Elle a reçu de nombreux prix littéraires.

Après cinq ans d'absence à parcourir l'Amérique du Nord et à vivre de petits travaux, Stevens est revenu dans son village du Québec, perdu au bout des terres. Il décide de rendre visite à sa cousine Olivia. Quand il est parti, Olivia était une petite fille. C'est maintenant une belle jeune fille de 17 ans. Elle est partagée entre son attirance pour Stevens et la peur qu'elle éprouve face au « mauvais garçon ».

5   Stevens s'est arrêté devant chez Olivia. Le vent gronde[1] sourdement. Il fait craquer[2] la maison comme une coque[3] de bateau dans la tempête. Olivia est dans la cuisine. Elle repasse une chemise, sur une planche, posée entre deux chaises. Elle jette un regard par-dessus son épaule, comme quelqu'un qui n'est pas tranquille. On marche sur la galerie ? Des pas sur la terre et dans l'herbe autour de la maison ? Des yeux dans les fenêtres ? Quelqu'un bouge dans le grenier ? Et puis ce vent qui siffle...

10   Tout à coup Stevens est là sur le perron[4], le visage contre le grillage de la porte de la cuisine. Il est dans l'œil bleu d'Olivia qui regarde la porte d'un air effaré[5]. Grand et mince, le chapeau sur les yeux. Elle le reconnaît tout de suite, mais elle fait semblant[6] de ne pas savoir qui il est et l'appelle « monsieur ».

    Ce garçon a été absent[7] pendant cinq ans et il est devenu un homme. Il a accompli sa transformation d'homme loin de ceux du village, comme un serpent qui se cache pour changer sa peau. Il s'est acheté
15 des bottes et un chapeau de feutre marron. Il roule des épaules[8] en marchant et ses yeux sont couleur de cendres bleues.

    – Salut, Olivia !

    Elle pense très fort : « Ne lève pas la tête de ton repassage, tant que ce mauvais garçon sera là dans la porte. »

---

1. gronder : *faire un bruit menaçant*
2. craquer : *faire un bruit sec*
3. la coque : *partie extérieure du bateau*
4. le perron : *escalier et plate-forme devant l'entrée d'une maison*
5. effaré : *surpris et effrayé*
6. faire semblant : *faire comme si*
7. absent : *qui n'est pas là*
8. rouler des épaules : *faire tourner ses épaules, se donner un air important*

20 Il rit. Son rire passe par les petits trous du grillage, se brise[9] en mille éclats sur le plancher de la cuisine, aux pieds d'Olivia qui se recule comme si un serpent se débattait[10] là, à la pointe de ses chaussures.

– Tu ne veux pas me laisser entrer ?

– Dites-moi tout de suite ce que vous voulez. C'est pas la peine d'entrer.

Il rit plus fort.

25 – Je suis pressée.

Elle retourne à son repassage, à petits coups précipités, sans même s'apercevoir de ce qu'elle fait.

– Je voudrais te parler. Laisse-moi entrer.

Une odeur de linge roussi[11], une petite fumée. Elle vient de brûler un poignet de chemise.

– Laissez-moi tranquille, je vais tout brûler.

30 Olivia laisse tomber par terre la chemise blanche qu'elle tenait à la main. Elle s'approche de la porte. Elle examine attentivement Stevens comme si c'était un devoir de le regarder et de bien le voir. Elle le regarde en plein visage. C'est étrange de pouvoir le regarder de si près et d'être regardée par lui. Elle ne peut plus fermer les yeux. Le vent glisse sous les portes, emmêle ses courants et file[12] sa chanson envoûtante[13].

35 C'est Stevens qui détourne[14] la tête le premier.

D'après *Les fous de Bassan*, Anne Hébert, 1982

Écoute et lis ! Puis réponds !

1 Quel métier a exercé Anne Hébert pour l'Office national du film ? Pour qui a-t-elle aussi travaillé ?

2 Qui est Stevens pour Olivia ? Depuis combien de temps était-il parti du village ?

3 Pourquoi Olivia fait semblant de ne pas reconnaître Stevens ?

4 Anne Hébert utilise l'image d'un animal pour évoquer Stevens et l'effet qu'il fait sur Olivia. Lequel ?

5 Relève les phrases ou les situations qui montrent qu'Olivia a peur de Stevens !

6 Relève les phrases ou les situations qui montrent qu'elle est aussi attirée par lui !

7 « C'est Stevens qui détourne la tête le premier. » Que montre cette phrase ? Que Stevens est nerveux ? Qu'il est timide ?

8 Est-ce que le vent est important dans cette scène ? Relève les phrases où il est décrit !

Communication

Tu sais maintenant…

■ **exprimer la cause :**

C'est parce que mon père nous a fait faire beaucoup de sport.
Comme il neige au Québec six mois par an, je fais aussi beaucoup
de ski ou de raquette.
Puisque tu aimes le froid, tu devrais aimer le canot à glace ?

■ **exprimer la simultanéité :**

Il s'est mis à neiger tandis que nous rentrions à la maison.

■ **exprimer la comparaison :**

Le printemps est le temps des sucres alors que l'automne est
celui des couleurs.

■ **exprimer l'opposition :**

Moi, je pars travailler alors que toi, tu restes bien au chaud !

Vocabulaire

Sports

le baseball	l'escrime (f.)	le patinage	le sélectionneur
la boxe	la gymnastique	la patinoire	le sentier
le canot sur glace	le hockey sur glace	la piste	le soccer
le circuit (U5)	la manifestation sportive	le rafting	le stade
l'eau vive (f.)	le match (U10)	la raquette (à neige)	le terrain
l'entraîneur (m.)	la motoneige	le reportage sportif	le traîneau à chiens

Divers

l'attirance (f.)	l'érable (m.)	l'importance (f.)	le serpent
la cabane	le grenier	le pas	la sève
l'épreuve (f.)	le grillage	le plancher	la tempête

Verbes

accomplir	cueillir	laisser tomber	recueillir
s'approcher de	emmêler	nécessiter	(se) reculer
assister à	s'équiper	pêcher	repasser (faire du repassage)
avoir lieu	examiner	planifier	respecter
circuler	glisser	pratiquer (un sport)	siffler

Adjectifs et prépositions

à cause de	glacé(e)	mince	québécois(e) (le Québec) (U1)
éclatant(e)	grâce à	pressé(e)	tranquille

Pronoms indéfinis

ne … aucun(e)	ne … pas un(e)	plusieurs	quelqu'un
chacun(e)	ne … personne	quelque chose	quelques-un(e)s

Grammaire

Les pronoms indéfinis

■ **Les pronoms indéfinis avec *de* + adjectif (ou participe passé)**
ne ... aucun(e) – ne ... pas un(e) – ne ... personne – quelque chose – quelqu'un – quelques-un(e)s – ne ... rien, etc.
Huong Lan a **quelque chose de** mystérieux.

■ **Les pronoms indéfinis avec *de* + nom ou + *d'entre* + pronom (*nous, vous, eux, elles*)**
ne ... aucun(e) – certain(e,s) – chacun(e) – ne ... pas un(e) – plusieurs – quelques-un(e)s, etc.
Félix m'a parlé de **quelques-uns des** sports qu'il pratique.

Les conjonctions *parce que, puisque* et *comme*

La subordonnée avec parce que *se trouve* après *la principale :*
Je n'aime pas la motoneige **parce qu'**elle ne respecte pas la nature.

On peut mettre en relief la cause avec c'est parce que *:*
C'est parce que mon père nous a fait faire beaucoup de sport.

La subordonnée avec comme *est toujours* avant *la principale. La cause n'est connue que du locuteur :*
Comme il neige au Québec six mois par an, je fais beaucoup de ski.

La subordonnée avec puisque *est souvent* avant *la principale. La cause est connue des interlocuteurs :*
Puisque tu aimes le froid, tu devrais aimer le canot à glace et le rafting ?

Les conjonctions *alors que* et *tandis que*

Elles expriment la simultanéité (= « pendant le temps que... ») :
Il s'est mis à neiger **tandis que** nous rentrions à la maison.

Alors que peut aussi marquer la comparaison :
Le printemps est le temps des sucres **alors que** l'automne est celui des couleurs.

Tandis que peut aussi marquer l'opposition :
Moi, je pars travailler **tandis que toi,** tu restes bien au chaud à la maison !

Stratégies

Pour mieux écouter
un texte et le comprendre...

■ Écoute le texte en te concentrant bien. Repère le ton de la voix de ceux qui parlent : il renseigne sur l'atmosphère du texte ou sur l'humeur des personnages.

■ Prends des notes rapides **en français** (c'est plus facile) : un mot-clef, une date, une expression. Apprends à utiliser des abréviations ou des symboles pour écrire plus vite.

■ Ne prends pas trop de notes, parce qu'en les écrivant tu n'entends pas forcément la suite du texte ! Écris-les lisiblement afin de pouvoir correctement les relire et t'en servir !

Culture et civilisation

**Quatre provinces du Canada où on parle
le *français québécois*
et le *français acadien***

Québec : le château Frontenac

Ontario : Toronto et la CN Tower

Manitoba : le quartier de Saint-Boniface
à Winnipeg

Nouveau-Brunswick : une ferme acadienne

**Combien de Canadiens parlent français ?
Fais une recherche sur Internet !**

La fête du français

PROJET DE L'UNITÉ :
ANIMER UNE FÊTE

1 Écoute et lis ! Qu'est-ce que les amis préparent ? Regarde les mots en gras : ce sont des doubles pronoms COD et COI. Repère comment ils sont placés à chaque fois l'un par rapport à l'autre !

Image 1

Léa : Joséphine ! Tu as l'adresse de Stanislas ? Tu **me la** donnes ? On voudrait l'inviter pour notre fête du français !

Joséphine : C'est que... Stan m'a écrit une lettre : il arrive dans trois jours !

Image 2

Théo : Cette lettre, il **te l'**a écrite quand ?

Joséphine : Il y a une semaine.

Théo : Tu sais depuis une semaine que Stan va venir et tu ne **nous le** dis pas ?

Joséphine : Je viens de **vous le** dire, non ? Vous êtes au courant, maintenant !

Théo : Tu as une curieuse manière de nous tenir au courant !

Joséphine : Et toi, tu es un frère trop curieux !

Image 3

Max : OK. Stop. C'est bon. Vous arrêtez. Stan arrivera juste à temps pour la fête !

Agathe : On va **la lui** offrir pour son retour !

Image 4

Emma : Huong Lan, Félix et moi, on a préparé des histoires drôles et de drôles d'histoires à lire pendant la fête. On **vous les** raconte ?

Tous les autres : Ben non, attendez la fête !

Image 5

Agathe : Seydou, Théo et moi, on prépare la musique ! On **vous la** fait écouter ?

Tous les autres : Non ! Pas tout de suite...

Image 6

Max : Léa et moi, on a écrit un article. On **vous le** montre ?

Tous les autres : Non ! Attendez ! *(Rires)*

2 La localisation dans le temps → Complète à l'oral avec *dans, depuis, pendant* ou *il y a* ! Puis écoute le CD pour vérifier tes réponses !

1 On n'a pas vu Stanislas **...** des mois !

2 Il a écrit une lettre à Joséphine **...** une semaine.

3 Il arrive **...** trois jours !

4 **...** une semaine, Joséphine est très nerveuse !

5 Stanislas est parti vivre en Belgique **...** un an.

6 Il est resté en contact **...** tout ce temps avec Joséphine.

7 **...** ces prochains jours, on va préparer une fête.

8 Oh ! J'ai rendez-vous **...** cinq minutes avec Léa pour relire l'article sur le français ! Salut !

> **Les prépostions et locutions de temps**
> *depuis* et *pendant* expriment la <u>durée</u> d'une action
> *il y a* et *dans* expriment le <u>moment</u> d'une action : *il y a* pour une action <u>passée</u>, *dans* pour une action <u>future</u>

3 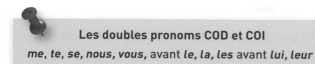 Les doubles pronoms COD et COI → Regarde les exemples et transforme les phrases !

Exemples : Tu me donnes son adresse ? – Oui, je **te la** donne !
On se prête nos portables ? – Non, on <u>ne</u> **se les** prête <u>pas</u> !

Les doubles pronoms COD et COI
me, te, se, nous, vous, avant *le, la, les* avant *lui, leur*

1 Tu nous laisses ton numéro de téléphone ? – Oui, je **...** !
2 J'annonce la nouvelle à Théo ? – Non, tu **...** !
3 Nous vous racontons l'histoire ? – Oui, vous **...** !
4 Tu donnes mes photos à tes cousins ? – Oui, je **...** !
5 On s'offre de nouveaux jeux vidéo ? – Oui, on **...** !
6 Vous m'expliquez le jeu ? – Non, nous ne **...** !

4 La place des adjectifs → Regarde l'exemple, puis lis les phrases de cette histoire en mettant les adjectifs dans le bon ordre ! (Aide-toi de la grammaire page 103 !)

Exemple : Il était une fois un *roi / pressé / gros.* → Il était une fois un **gros roi pressé.**

1 Il habitait un *pays / beau / sauvage.*

2 Il a rencontré une *princesse / jolie / romantique.*

3 Elle était sur son *scooter / rouge / nouveau.*

4 Il lui a demandé avec un *sourire / éclatant / grand* : « Princesse, tu veux m'épouser ? »

5 Mais la princesse a répondu avec un *air / petit / sévère* :

6 « Pas question ! Tu n'es qu'un *roi / obèse / vieux* ! »

5 Les adjectifs changent de sens en changeant de place → Lis d'abord cette drôle d'histoire et repère les adjectifs et leurs sens quand ils sont *avant* ou *après* le nom ! Fais-en une liste !

Vous connaissez cette **sombre** (= *compliquée et triste*) histoire qui est arrivée dans cette maison **sombre** (= *obscure*) ?
C'est l'histoire d'une **drôle** de femme (= *bizarre*), mais qui n'est pas **drôle** (= *amusante*) !
Son père était un **brave** homme (= *honnête et bon*), mais ce n'était pas un homme **brave** (= *courageux*).
Cette femme était souvent de **méchante** (= *mauvaise*) humeur, mais jamais d'humeur **méchante** (= *cruelle ou dure*).
Bref, c'était une **pauvre** femme (= *malheureuse*), mais ce n'était pas une femme **pauvre** (= *pas riche*).
Oui, vraiment c'était une **curieuse** (= *étrange*) personne et pourtant elle n'était pas **curieuse** (= *indiscrète*).
Cette femme **seule** (= *solitaire*) nous a parlé une **seule** (= *unique*) fois !
Et c'est l'année **dernière** (= *d'avant*) qu'on l'a vue pour la **dernière** fois (= *on ne l'a plus vue après*) !

6 Maintenant, trouve les expressions équivalentes ! Attention à la place des adjectifs !

1 une personne *solitaire* : **...**
2 une femme *honnête et bonne* : **...**
3 un enfant *cruel* : **...**
4 une pièce *obscure* : **...**

5 une maison *bizarre* : **...**
6 un garçon *malheureux* : **...**
7 la semaine *d'avant* : **...**
8 un sourire *étrange* : **...**

La fête du français

PROJET : ANIMER UNE FÊTE AVEC DES JEUX EN FRANÇAIS

Tu veux animer avec tes amis une fête (fête de la classe, fête du collège) et tu veux créer des jeux en français ! Participe à la création de devinettes, d'énigmes, de rébus, de charades ou de mots croisés !

1 😀👋 😀✍️ **Invente des devinettes ou des énigmes, par exemple d'après les textes littéraires du manuel !**

1 *J'ai mangé du pain et du fromage pendant près de sept semaines pour survivre. Qui suis-je ?* (Antoine, *Derborence*)

2 *J'aime le plus brave des guerriers. Qui suis-je ?* (Dioudi, *La Ballade de Dioudi*)

À toi d'imaginer des énigmes et des devinettes !

2 😀📖 😀✍️ **Crée des rébus !**

Le rébus est une devinette graphique sous forme de dessins, de mots, de chiffres, etc. Regarde les exemples sur l'affiche !

pied + thon = piéton[1] / *chat + pot = chapeau* / *banc + bain = bambin*[2]
sang + sur[3] *= censure* / *clic (de souris)* / *cerf + seau = cerceau*[4]

À toi de trouver des mots à illustrer sous forme de rébus !

3 😀✍️ **Compose des charades !**

La charade est une énigme où on doit deviner un mot de plusieurs syllabes décomposé en parties correspondant à un mot défini. Exemples :

1 *Mon premier est un animal familier* (chat). *Mon deuxième sert à construire des phrases* (mot). *Mon tout est appelé le « vaisseau du désert »* (chameau).

2 *Mon premier tourne* (roue). *Mon deuxième amuse* (jeu). *Mon tout est une couleur vive* (rouge).

À toi de concevoir des charades !

4 😀✍️ **Réalise des jeux de mots et de lettres !**

Parmi ces jeux, il y a les *mots croisés* ou les *mots cachés*.

Mots croisés

	1	2	3	4	5
A	M	A	T	C	H
B	E	N		A	I
C	T		I		V
D	A	L	L	E	E
E	L	U	E	U	R

Horizontalement
A : *Compétition sportive*
B : *Dans – Possède*
D : *Partie*
E : *Lumière*

Verticalement
1 : *Fer, argent ou or*
2 : *Année – Déchiffré*
3 : *La Corse en est une*
4 : *Cela - Possédé*
5 : *Saison froide*

Mots cachés

A	M	I	S
L	O	O	K
L	T	O	I
O	S	E	R

Mots à trouver :
→ ↗
amis – look – toi – oser / loi
↓ ↘
allo – mots – ski / moi

À toi de créer des mots croisés ou des mots cachés en français !

Bonne fête et bonne animation !

5 😀💬 **Écoute et chante la chanson / le rap !**

Et puis un jour on est partis en Belgique et en Haïti.
On a visité des pays comme le Québec et l'Algérie.
On n'est pas arrivés en retard au Liban, à Madagascar.
Des tas de photos on a pris, en Suisse et en Roumanie.
Et puis c'était vraiment génial au Viêtnam et au Sénégal.
Et... on s'est fait beaucoup d'amis, grâce à la francophonie !

---

1. le piéton : *personne qui circule à pied* – 2. le bambin : *jeune enfant* – 3. sur(e) : *qui a un goût acide comme le citron* – 4. le cerceau : *cercle en bois ou en métal*

1 🔲📖 💬 **Lis le texte écrit par Max et Léa ! Remplace les *** par *dans, depuis, pendant* ou *il y a* !**

L'ACADÉMIE FRANÇAISE

Elle a été créée en 1635, sous le règne du roi Louis XIII, par le cardinal de Richelieu.

Elle se compose de 40 *académiciens*, des poètes, des romanciers, des historiens, des hommes d'État, etc. Ils sont appelés les *immortels* (ils travaillent à *l'immortalité* de la langue française, selon la devise de Richelieu !) et portent « l'habit vert » pendant les cérémonies.

Le travail des membres de l'Académie est de fixer l'usage de la langue française, c'est-à-dire la prononciation, l'orthographe et le sens des mots. Les membres préparent en ce moment la neuvième édition du *Dictionnaire de l'Académie française*.

L'Académie décerne également des prix, par exemple le *Grand prix de littérature de l'Académie française* ou le *Grand prix de la Francophonie*.

La tenue des académiciens

LA LANGUE FRANÇAISE

L'histoire de la langue française commence *** plus de 2 000 ans : les Romains (–Ier siècle) conquièrent la *Gaule* (qui est plus ou moins la région qui forme aujourd'hui la France). Ils apportent leur langue, le *latin*.

Des langues romanes, dont *l'ancien français*, puis le *moyen français* se développent *** plus de 1 500 ans jusqu'à ce qu'en 1539 le roi François 1er impose le français comme la langue du droit et de l'administration.

Mais au XVIIIe siècle, 25 millions de Français sur 28 millions parlent une autre langue régionale que le français, par exemple *le breton*, *l'auvergnat* ou le *provençal* !

Pourtant, c'est à cette époque que le français devient la langue de la diplomatie ; il est parlé dans de nombreuses cours européennes ainsi que par des savants et des artistes dans l'Europe entière.

La langue française est codifiée par des institutions comme *l'Académie française* (France), *le Service de la langue française* (Belgique) ou *l'Office québécois de la langue française* (Canada).

Le mot *francophonie* existe *** 1880 : c'est un géographe français, Onésime Reclus (1837-1916), qui l'a inventé pour définir l'ensemble des personnes et des pays qui utilisent la langue française.

Le français est la langue officielle d'une trentaine de pays et d'un certain nombre d'organisations internationales. Environ 200 millions de personnes le parlent dans le monde. Là où elle est pratiquée, en Europe, en Amérique, au Proche ou au Moyen-Orient, en Asie-Pacifique ou en Afrique, la langue française s'enrichit de nouveaux mots et de nouvelles expressions. *** 1 000 ans, elle sera sûrement très différente !

L'institut de France où siège l'Académie française

2 📖 💬 **Vrai ou faux ?**

1 Les Romains parlaient déjà le français quand ils sont arrivés en *Gaule*.

2 À partir de 1539, tous les habitants de la France ne parlent plus de langues régionales mais seulement le français.

3 Au XVIIIe siècle, des rois, des savants et des artistes d'autres pays européens parlent aussi le français.

4 *L'Académie française* sert à codifier la langue française.

5 Cette *Académie* a été créée par le roi François 1er.

6 Ses 40 membres sont appelés des *diplomates*, parce qu'ils travaillent dans la *diplomatie* grâce au français.

7 Ils écrivent un *dictionnaire* pour préciser comment prononcer les mots, comment les écrire et comment les comprendre.

8 Ils donnent des prix, comme par exemple le *Grand prix de la Francophonie*.

9 Le mot *francophonie* a été inventé par un académicien.

10 La langue française est utilisée dans des organisations internationales.

La fête du français

La grammaire est une chanson douce de Érik Orsenna

Érik Orsenna (de son vrai nom Érik Arnoult) est un romancier et académicien français né en 1947 à Paris. Il fait des études de philosophie, de sciences politiques et d'économie. Il devient chercheur et enseignant à l'Université de Paris. Il est nommé conseiller dans différents ministères entre 1981 et 2000.

Il est élu membre de l'Académie française en 1998. Il publie des œuvres en sciences politiques et économiques mais aussi de nombreux essais et romans, certains d'entre eux sur la langue et la grammaire françaises.

Jeanne et son frère Thomas traversent l'Atlantique en paquebot[1] pour rejoindre leur père en Amérique. Mais une tempête leur fait faire naufrage[2]. Ils se retrouvent sur une île étrange dont les habitants sont des mots. Accueillis par Monsieur Henri, ils découvrent un territoire magique où les mots sont des êtres vivants qui habitent une ville, la « ville des mots » !

5 Nous étions arrivés au sommet d'une colline où nous attendait le plus étrange des spectacles. En dessous de nous, s'étendait une ville avec des rues, des maisons, des magasins, une mairie, une église, un palais, une mosquée, une caserne de pompiers et bien d'autres bâtiments encore.

Une ville pareille aux nôtres, mais tous les bâtiments étaient beaucoup plus petits. On aurait dit une maquette[3]. De plus, il n'y avait ni hommes ni femmes ni enfants, mais des mots ! Des mots innombrables[4]
10 qui se promenaient comme chez eux. (...)

Monsieur Henri nous a proposé de visiter une usine. Elle ressemblait à une volière[5] immense, pleine de papillons. Au sol, couraient toutes sortes de petits insectes, on aurait dit des fourmis. Monsieur Henri nous a expliqué :

– Ce sont les *verbes*. Regardez-les, des maniaques du labeur[6]. Ils n'arrêtent pas de travailler.

15 Il disait vrai. Ces fourmis, ces *verbes*, comme il les avait appelés, bricolaient, sculptaient, frappaient, soulevaient, renversaient, emportaient ; ils construisaient, couvraient, buvaient, peignaient, cousaient. Dans une cacophonie[7] épouvantable. On aurait dit un atelier de fous, chacun travaillait frénétiquement[8] sans s'occuper des autres.

– Un *verbe* ne peut pas se tenir tranquille[9], a ajouté Monsieur Henri, c'est sa nature. Vingt-quatre
20 heures sur vingt-quatre, il travaille. Vous avez remarqué les deux, là-bas, qui courent partout ?

---

1. le paquebot : *très grand bateau*
2. faire naufrage : *sombrer, couler*
3. la maquette : *modèle réduit*
4. innombrable : *très nombreux*
5. la volière : *grande cage pour les oiseaux*
6. le maniaque du labeur : *fou du travail*
7. la cacophonie : *mélange de sons qui ne vont pas ensemble*
8. frénétiquement : *avec agitation*
9. se tenir tranquille : *rester calme*

10. **formidable** : *(ici) énorme, extraordinaire*
11. **le coup de main** : *aide*
12. **le filet** : *réseau à mailles servant à capturer des animaux*
13. **tournoyer** : *tourner, faire des cercles*
14. **minuscule** : *très petit*
15. **saisir** : *prendre*
16. **agité** : *nerveux*

Nous avons mis du temps à les repérer, dans le formidable[10] désordre. Soudain, nous les avons aperçus, « être » et « avoir ». Ils couraient d'un verbe à l'autre et proposaient leurs services : « Vous n'avez pas besoin d'aide ? Vous ne voulez pas un coup de main[11] ? »

25 – Vous avez vu comme ils sont gentils ? C'est pour ça qu'on les appelle des *auxiliaires*, du latin *auxilium*, secours. Et maintenant, à toi de jouer, Jeanne ! Tu vas construire ta première phrase, m'a dit Monsieur Henri en me tendant un filet[12] à papillons. Essaie d'attraper un ou deux papillons… Allez, n'aie pas peur, sois courageuse : ils ne vont pas te mordre !

Il a ouvert la porte de la volière et j'ai fait tournoyer[13] le filet à papillons. Deux minuscules[14] papillons se sont retrouvés pris à l'intérieur.

30 – Allez, maintenant, tu pêches un *verbe*, a dit Monsieur Henri.

J'ai saisi[15] une petite fourmi qui me semblait moins agitée[16] que les autres.

– Parfait, tu déposes tes mots sur la feuille de papier et tu formes ta phrase.

J'avais sorti les mots du filet et je les tenais prisonniers dans ma main : je ne voulais pas qu'ils s'échappent. Mais dès que j'ai lâché les mots, ils se sont couchés sur le papier.

35 Je regardais la phrase : c'était une toute petite phrase de trois mots, à peine visibles sur la feuille : « Je t'aime »

– Pas mal pour un début, Jeanne ! Des petites phrases comme celle-là, on en a toujours besoin ! Garde-la précieusement, on ne sait jamais…

Et Monsieur Henri a éclaté de rire.

D'après *La grammaire est une chanson douce*, Érik Orsenna, 2001

Écoute et lis ! Puis réponds !

1 De quoi parlent certains romans d'Érik Orsenna ?

2 À quoi ressemble la « ville des mots » que visitent Jeanne et Thomas ?

3 À quels animaux sont comparés les *verbes* de l'usine des mots ? Pourquoi ?

4 Jeanne a construit « une toute petite phrase ». Pourquoi Monsieur Henri conseille-t-il à Jeanne de la garder précieusement ?

Communication

Tu sais maintenant...

■ **indiquer la durée d'une action :**
Joséphine sait depuis une semaine que Stan va venir.
On va lire des histoires pendant la fête.

■ **indiquer le moment d'une action :**
L'histoire du français commence il y a plus de 2 000 ans.

■ **exprimer des sens différents avec le même adjectif :**
C'est un brave homme. C'est un homme brave.

■ **encourager, rassurer :**
N'aie pas peur ! Sois courageuse ! Pas mal pour un début !

■ **exprimer la probabilité :**
On ne sait jamais !

Vocabulaire

Jeux et langue

la charade	l'énigme (f.)	les mots croisés (m. pl.)	le rébus
la devinette	l'expression (f.)	l'orthographe (f.)	le sens
la devise	les mots cachés (m. pl.)	la prononciation	l'usage (m.)

Régions du monde et organisations

l'académicien (m.)	l'Asie-Pacifique (f.)	l'institution (f.)	l'organisation (f.)
l'administration (f.)	la diplomatie	le membre	le Proche-Orient
l'Amérique (f.)	l'Europe (f.)	le Moyen-Orient	le savant

Bâtiments, espaces, etc.

la caserne de pompiers	la fourmi	la mosquée	le sommet
le désordre	la mairie	le palais	le territoire

Verbes

animer	définir	s'enrichir	lâcher
attraper	déposer	être au courant	mordre
codifier	se développer	fixer	repérer
se composer (de)	s'échapper	former	se retrouver
décerner	éclater de rire	imposer	traverser

Adjectifs et adverbes

brave	immortel(le)	précieusement	à temps
curieux / curieuse	indiscret / indiscrète	régional(e)	visible
drôle	juste	solitaire	

Être et *avoir* à l'impératif

N'aie (n'ayons, n'ayez) pas peur ! Sois (soyons, soyez) courageux !

La localisation dans le temps avec *depuis* et *pendant*

Les prépositions depuis *et* pendant *indiquent la* **durée** *d'une action :*
J'habite ici **depuis** trois ans. *(Utilisation du présent : j'y habite encore.)*
J'ai habité ici **pendant** trois ans. *(Utilisation du passé : je n'y habite plus.)*

La localisation dans le temps avec *il y a* et *dans*

L'expression il y a *et la préposition* dans *servent à indiquer le* **moment** *où l'action a eu lieu (il y a) ou aura lieu (dans).*
Je suis arrivée **il y a** trois mois.
Je pars **dans** trois mois.

La place de l'adjectif qualificatif épithète

■ *Adjectifs placés* <u>avant</u> *le nom :*
autre, beau, bon, grand, gros, jeune, joli, mauvais, même, nouveau, petit, vieux :
une jolie princesse – un grand sourire .

■ *Adjectifs placés* <u>après</u> *le nom :*
– *Les adjectifs de couleur ou de forme :*
un habit vert – un chapeau pointu
– *Les participes employés comme adjectifs, participes passés ou participes présents :*
un roi pressé – des êtres vivants

■ *Si on ajoute un adjectif à une locution comme* un petit enfant, *on peut le mettre seulement avant ou après la locution, mais pas entre les deux éléments :*
un **gentil** petit enfant *ou* un petit enfant **gentil** *mais pas « un petit gentil enfant »*

■ *L'adjectif peut changer de sens en changeant de place.* <u>Avant</u> *le nom, il a un sens plutôt figuré ou affectif.* <u>Après</u> *le nom, il est plutôt descriptif :*
Une **sombre** histoire est arrivée dans cette maison **sombre**.
Son père était un **brave** homme, mais ce n'était pas un homme **brave**.

Les doubles pronoms COD et COI

me, te, se, nous, vous	avant	le, la, les	avant	lui, leur

Je **vous le** donne. – Tu **la lui** annonces.

Pour mieux apprendre...

Fais le point sur tes connaissances en civilisation !
Pour les pays francophones, note le nom d'un pays et les informations dont tu te souviens : capitale, personnages célèbres, faits culturels, etc. Puis vérifie la situation du pays sur la carte dans le livre et contrôle tes informations dans l'unité ou la leçon correspondante. Complète-les par des renseignements trouvés dans une encyclopédie !

Fêtes et jeux de la Francophonie

Francofête de Montréal (Canada)

Les Jeux de la Francophonie

Fais des recherches sur ces fêtes et sur ces jeux ! (Voir aussi page 98.)

Puis réalise une affiche avec ta classe !

On révise et on s'entraîne pour le DELF B1 !

Nom : .... Prénom : ....

Compréhension de l'oral (25 points)

🎧 **1** Écoute la biographie de la chanteuse canadienne Céline Dion ! Résume chaque élément d'information en une petite phrase ! Tu as deux écoutes !

1 ....

2 ....

3 ....

4 ....

5 ....

6 ....

7 ....

8 ....

🎧 **2** Écoute et coche les noms de sports entendus ! Lis d'abord les noms ! Tu as deux écoutes !

1 le baseball ☐   **4** le handball ☐   **7** le rugby ☐   **10** le tennis ☐

2 le basket-ball ☐   **5** le judo ☐   **8** le ski ☐   **11** le traîneau à chiens ☐

3 le football ☐   **6** la natation ☐   **9** le snowboard ☐   **12** le volley-ball ☐

Compréhension des écrits (25 points)

1 📖 Lis cet article puis réponds aux questions !

La Croix-Rouge en Haïti, après les ouragans[1]…

En août et en septembre 2008, la tempête tropicale *Fay* puis les terribles ouragans *Gustav*, *Hanna* et *Ike* ont balayé Haïti. À peine les habitants commençaient-ils à se relever du premier ouragan que le deuxième est arrivé, puis le troisième. Marie-Claude, une volontaire de la Croix-Rouge haïtienne, participait à des opérations de secours. Elle venait de partir de la zone sinistrée[2] des Gonaïves quand elle a entendu des sirènes[3]. Elle a aperçu un nuage de fumée et de poussière : une école venait de s'effondrer. Elle s'est précipitée sur les lieux où de nombreux enfants étaient bloqués sous les décombres[4], appelant à l'aide. Dans la panique générale, gardant son sang-froid[5], elle a commencé à diriger l'opération de secours. Elle est restée ainsi quatre heures sous les décombres de l'école, à soigner les blessés.

Avant même l'arrivée des équipes de secours, elle avait installé un système de tubes pour amener de l'eau aux personnes prisonnières des décombres. Ce jour-là, elle a sauvé la vie de beaucoup de personnes et elle nous a donné à nous tous, ses collègues, un exemple à suivre. Quand je lui ai demandé si elle se rendait compte de ce qu'elle avait fait, elle a modestement répondu qu'elle n'avait rien fait de plus que tous les membres de la Croix-Rouge haïtienne à ses côtés. Elle a dit que c'étaient eux, les vrais héros de la situation, et qu'elle n'avait fait que partager avec eux son expérience.

Extrait du Magazine du mouvement international de la Croix-Rouge et du Croissant-Rouge, janvier 2009

1 Combien d'ouragans et de tempêtes ont balayé Haïti en août et en septembre 2008 ? – **2** Qui est Marie-Claude ? – **3** Pourquoi était-elle venue aux Gonaïves ? – **4** Pourquoi a-t-on entendu des sirènes ? – **5** La fumée et la poussière venaient d'où ? – **6** Comment Marie-Claude a réagi ? – **7** Qui était bloqué sous les décombres ? – **8** Qu'est-ce que Marie-Claude a fait pour sauver la vie de ces personnes ? – **9** Combien de temps les équipes de secours ont mis pour arriver sur les lieux de la catastrophe ? – **10** En quoi Marie-Claude est quelqu'un de compétent et d'inventif ? – **11** En quoi est-elle quelqu'un de courageux ? – **12** En quoi est-elle quelqu'un de modeste ? – **13** Pourquoi est-elle un exemple à suivre pour ses collègues ?

---

1. l'ouragan (m.) : *tempête, cyclone* – 2. la zone sinistrée : *là où il y a eu un sinistre, une catastrophe* – 3. la sirène : *appareil qui fait du bruit pour donner un signal* – 4. les décombres : *ruines* – 5. le sang-froid : *maîtrise de soi face au danger*

2 📖✍️ **Lis la biographie du peintre français Henri Rousseau ! Puis écris vrai (V) ou faux (F) et justifie ta réponse !**

Un peintre naïf français : Henri Rousseau

Henri Rousseau,
Autoportrait, 1890

Henri Rousseau, dit le *Douanier Rousseau* (1844-1910), commence par travailler chez un avocat, puis il devient fonctionnaire : pendant plus de vingt ans, il travaille comme douanier aux portes de la ville de Paris et dans les ports de la Seine : il doit contrôler et percevoir une taxe[1] sur les marchandises comme le sel, le lait ou l'huile.

Son métier est monotone. Il rêve de grands voyages mais sa vie est si banale qu'il laisse croire qu'il a fait la guerre au Mexique et qu'il a participé à des expéditions dangereuses dans la forêt vierge[2].

Il a près de 40 ans quand il décide de devenir un artiste. Il ne prend pas de cours mais développe un style personnel, un style simple et « naïf ». Il aime la nature, les animaux et les plantes. Il visite le zoo ou les serres[3] du Jardin des Plantes à Paris et s'inspire des animaux ou des plantes exotiques qu'il y a vus pour peindre des forêts tropicales et des paysages dans lesquels il n'est pas allé en réalité, car il n'a jamais voyagé.

À la fin de sa vie, il devient l'ami de peintres et de poètes célèbres. Les peintres Pablo Picasso et Robert Delaunay, les poètes Alfred Jarry, Guillaume Apollinaire et André Breton fréquentent son atelier. Beaucoup de peintres surréalistes s'inspireront de son style pour créer leurs paysages rêvés.

1 Henri Rousseau a commencé par être avocat.

2 Il part au Mexique et découvre des forêts tropicales.

3 Il commence sa carrière de peintre assez tard, vers 1883.

4 C'est un peintre autodidacte, sans professeur.

5 Il peint les paysages qu'il a vus au cours de ses voyages.

6 L'œuvre de Rousseau a inspiré les peintres surréalistes.

Production écrite (25 points)

1 🗣️✍️ **Tu as fait un reportage « sur le terrain » : un reportage sportif, un reportage sur un lieu ou un bâtiment de ta ville, un reportage sur un fait divers, etc. Rédige un article d'information ! (120-130 mots)**

Aujourd'hui, j'ai assisté à ... J'ai rencontré des témoins ... J'ai appris que ... Ce n'est pas la première fois que ...

2 🗣️✍️ **Tu lis ces messages sur un forum des ados sur Internet. Tu écris 100 mots pour donner ton opinion sur le sujet : « Tous pour un ou chacun pour soi ? »**

> NADIR : On a tous besoin des autres : pendant les cours pour rire ou mieux comprendre ; pendant un chagrin d'amour pour être écouté et aidé ; pendant un moment de bonheur pour le partager !
>
> TATIANA : Partager ? S'aider ? C'est fini, j'ai été trop déçue. La solidarité, c'est dépassé. Je préfère le « chacun pour soi », c'est moins hypocrite et plus responsable. Il faut que chacun apprenne à se battre pour s'en sortir !

Production et interaction orales (25 points)

1 🗣️💬 **Parle en détail de tes loisirs et des actions solidaires que tu mènes ou que tu pourrais mener !**

Je n'aime ni ... ni ..., mais j'adore ... parce que ... . Comme il y a ... , je me suis engagé(e) (je vais m'engager) à ... Ce que j'ai décidé de faire, c'est ... pour que ... J'aimerais me rendre utile en ...

2 🗣️💬 **Tu voudrais organiser une « fête du français » avec tes amis ou avec ta classe. Tu soumets tes idées à ton professeur et tu lui demandes aussi son aide !**

Pour notre fête du français nous avons prévu ... Nous aurions besoin de ... Pourriez-vous ... ? – Oui, bien sûr, mais ...

---

1. la taxe : *impôt, redevance* – 2. la forêt vierge : *jungle* – 3. la serre : *construction vitrée où l'on cultive les plantes qui craignent le froid*

Communication

■ Se présenter :

Je suis canadien. Je suis francophone.

■ S'informer sur un objet, un événement, une personne :

Qu'est-ce qu'il y a dans le colis ?
Qu'est-ce qui s'est passé ?
Qui est-ce que j'ai invité ?

■ Énoncer une opération (addition, soustraction) :

Combien font sept et un ?
Combien font quatre moins trois ?
Quatre moins trois font un.

■ Préciser une information :

Il y a plusieurs pages, c'est-à-dire plusieurs thèmes.

■ Faire une proposition :

Qu'est-ce que vous diriez d'aller en Suisse avec moi ?
Si on allait voir ?

■ Refuser une proposition, exprimer un désaccord :

Occupe-toi de tes affaires !
Comment ça ?
Ça ne va pas du tout !
Certainement pas. Ce n'est pas ça !

■ Exprimer un accord :

Oh, mais c'est très bien !
Bon. Parfait. Excellent. Magnifique !
Comme tu voudras !

■ Apprécier quelque chose ou quelqu'un :

J'ai un faible pour le chocolat.
C'est une star dont je suis absolument fou.

■ Exprimer une émotion, un sentiment :

Je suis surpris qu'on puisse ressentir de la fascination pour ce star-système.
Je n'accepterais pas qu'on sache ce que je fais du matin au soir !

■ Exprimer une opinion :

Il est très pratique de créer un site avec plusieurs pages.
C'est essentiel de choisir un nom facile à retenir.
C'est important que tu compenses en finançant un projet.
Je trouve bizarre que tu lises ça !

■ Exprimer la déception, l'insatisfaction :

Dommage !
Je suis vraiment déçu(e).

■ Exprimer le doute, l'incertitude :

Je doute que les vraies vedettes profitent de cette « pipolisation » !
Je ne suis pas sûr que nous ayons tout compris.
Je ne pense pas qu'elle veuille compliquer les choses.

■ Exprimer une volonté, un souhait :

Ça nous ferait très plaisir !
J'aimerais beaucoup qu'on fasse un reportage sur moi !
Pourvu qu'elle arrive vite !

■ Exprimer une obligation :

Il faut que je fasse quelque chose !
Il est nécessaire que je sache quel impact a mon voyage.

■ Exprimer une possibilité, un projet :

Il est prévu qu'on aille à Madagascar.

■ Exprimer le regret :

Hélas !
J'aurais aimé me rendre utile !

■ Exprimer un reproche :

Ils auraient pu me dire qu'ils avaient besoin d'aide !

■ Exprimer un soulagement :

Quel soulagement !

■ Exprimer le fait de ne pas être surpris :

Moi, ça ne m'étonne pas du tout !

■ Exprimer l'indifférence :

Qu'importe !

■ Exprimer la probabilité :

On ne sait jamais !

■ **Exprimer une comparaison :**

Il est beau comme le soleil ; il est brave comme le lion.
Le printemps est le temps des sucres alors que l'automne est celui des couleurs.

■ **Exprimer une restriction :**

Elle ne voit que des jeux vidéo.
Elle aura fini seulement dans deux ou trois jours.
Seuls ses amis peuvent l'encourager.

■ **Encourager, rassurer :**

Pas mal pour un début !
N'aie pas peur ! Sois courageuse !

■ **Rappeler quelque chose à quelqu'un :**

Souviens-toi quand tu as séché le cours de gym !

■ **Rapporter un propos, une question :**

Elle a dit que s'il continuait, il deviendrait obèse.
Il m'a dit que dans cinq minutes, il lui aurait envoyé un texto.
Je t'ai demandé ce que tu faisais là.

■ **Décrire une action accomplie dans le futur :**

Dans cinq minutes, j'aurai fini d'écrire la page web.

■ **Décrire une action au passé :**

Elle avait réservé des chambres dans un chalet.

■ **Indiquer la durée d'une action :**

Elle sait depuis une semaine qu'il va venir.
On va lire des histoires pendant la fête.

■ **Indiquer le moment d'une action :**

L'histoire du français commence il y a plus de 2 000 ans.
En respirant l'air du matin, elle sent l'odeur de la papaye.

■ **Mettre en valeur une personne, une chose :**

Elle est invitée par sa famille algérienne.
Les touristes seront accompagnés par un guide.

■ **Exprimer la cause :**

En mangeant comme tu le fais, tu deviendras obèse !
C'est parce que mon père nous a fait faire du sport.
Comme il neige au Québec six mois par an, je fais aussi beaucoup de ski.
Puisque tu aimes le froid, tu devrais aimer le rafting ?

■ **Exprimer l'opposition :**

Moi, je pars travailler alors que toi, tu restes bien au chaud à la maison !

■ **Exprimer la concession :**

Bien qu'elle arrive toujours en retard, elle est très sympa.

■ **Exprimer le but :**

C'est pour que cela soit plus confortable.

■ **Exprimer la condition :**

À condition que je puisse aussi jouer du djembé.

■ **Exprimer une hypothèse qui a peu de chances de se réaliser :**

Si elle s'intéressait à l'art, je le saurais.

■ **Exprimer une hypothèse qui n'a plus aucune chance de se réaliser :**

Si j'avais su, je ne serais pas venue.

■ **Exprimer une hypothèse à propos d'un événement passé :**

Je me serai encore trompée dans mon emploi du temps !

■ **Exprimer l'antériorité :**

J'aimerais m'entraîner avant que tout le monde soit là.

■ **Exprimer la simultanéité :**

Il se lève pour rejoindre sa place en lançant un bras.
Il s'est mis à neiger tandis que nous rentrions à la maison.

■ **Exprimer la manière :**

Tu peux transformer ce plat en le faisant griller au four.
Je me suis entraînée sans que vous le sachiez.

■ **Exprimer une récapitulation, un bilan :**

Elle aura séché les cours au moins une fois ce mois-ci.

■ **Exprimer des sens différents avec un même adjectif :**

C'est un brave homme. C'est un homme brave.

Phonétique et graphie

Voyelles et semi-voyelles		
[a]	**a** → ami	**à** → déjà
[ɑ]	**a** → pas	**â** → théâtre
[e]	**é** → méchant	
	e + consonne finale muette → pied, les	
[ɛ]	**ai** → je sais	**ë** → Noël
	ay → je paye	**ei** → treize
	è → mère	**et** → bonnet
	ê → fête	
	e + consonne finale prononcée → mer	
[i]	**i** → petit	**î** → île
	y → pays	
[ɔ]	**o** → fort	**um** → album
[o]	**au** → animaux	**o** → vélo
	eau → bateau	**ô** → fantôme
[u]	**ou** → sous	**où** → où
	oû → goûter	**oo** → cool
[y]	**u** → plus	**û** → sûr
	eu → j'ai eu (participe passé de avoir)	
[ø]	**eu** → jeu	
[œ]	**eu** + consonne finale prononcée → leur	
	œ → œil	**œu** → sœur
[ə]	**e** → je	
[ɑ̃]	**an** → grand	**am** → jambe
	en → dent	**em** → temps
[ɛ̃]	**in** → lapin	**im** → timbre
	ain → main	**aim** → faim
	ein → peintre	**en** → chien
	ym → symbole	
[œ̃]	**un** → lundi	**um** → parfum
[ɔ̃]	**on** → poisson	**om** → combien
[j]	**i** → idiot	**y** → essayer
	ill → habille	**il** → soleil
	hi → cahier	
[w]	**ou** → oui	**oi** → moi
	oy → moyen	**oin** → moins
[ɥ]	**u** → nuit, duel	

Consonnes		
[p]	**p** → peur	**pp** → appareil
[t]	**t** → tortue	**tt** → assiette
	th → théâtre	
[k]	**c** devant a, o ou u → collège	
	c devant consonne → crêpe	
	ch → techno	**q** → cinq
	qu → musique	**k** → kilo
	ck → racket	**cc** → occasion
[b]	**b** → bon	
[d]	**d** → dessin	**dd** → addition
[g]	**g** devant a, o ou u → garage	
	g devant consonne → gris	
	gh → spaghetti	
[f]	**f** → fleur	**ff** → effrayant
	ph → pharmacie	
[s]	**s** → salut, penser	**ss** → ruisseau
	c devant e ou i → cinéma	
	ç → leçon	**ti** → promotion
	sc → piscine	**x** → six, dix
[ʃ]	**ch** → chat	**sh** → tee-shirt
	sch → schéma	
[v]	**v** → ville	**w** → wagon
[z]	**s** entre deux voyelles → rose	
	z → onze, zoo	**x** → sixième
	s et **x** de liaison → les‿amis, deux‿enfants	
[ʒ]	**j** → jardin	
	g devant e, i ou y → gymnase	
	ge devant a, o ou u → nous mangeons	
[l]	**l** → lac	**ll** → mille
[ʀ]	**r** → robe	**rr** → horrible
[m]	**m** → matin	**mm** → comme
[n]	**n** → nature	**nn** → donner
	mn → automne	
[ɲ]	**gn** → montagne	
[nj]	**ni** → panier	
[ŋ]	**ng** → ping-pong	

Grammaire

Le groupe nominal

1 Les adjectifs

■ Place de l'adjectif qualificatif

– Les adjectifs qualificatifs épithètes sont en général <u>après</u> le nom, en particulier les adjectifs de couleur ou de forme :
un habit vert – un chapeau pointu.
– Les participes employés comme adjectifs, participes passés ou participes présents sont également <u>après</u> le nom :
un roi pressé – des êtres vivants.
– Les adjectifs *autre, beau, bon, grand, gros, jeune, joli, mauvais, même, nouveau, petit, vieux* sont <u>avant</u> le nom :
une jolie princesse – un grand sourire.
– Si on ajoute un adjectif à une locution comme *un petit enfant*, on peut le mettre seulement avant ou après la locution, mais pas entre les deux éléments : *un **gentil** petit enfant* ou *un petit enfant **gentil*** mais pas « *un petit gentil enfant* »

■ Sens de l'adjectif

L'adjectif peut changer de sens en changeant de place. <u>Avant</u> le nom, il a un sens plutôt figuré ou affectif. <u>Après</u> le nom, il est plutôt descriptif : *Une **sombre** histoire est arrivée dans cette maison **sombre**.*

2 Les pronoms

■ Le pronom relatif *dont*

Il peut être :
– complément d'un verbe (introduit par *de*) : *C'est le magazine **dont** je t'ai parlé.*
*(Je t'ai parlé **de** ce magazine.)*
– complément d'un adjectif (introduit par *de*) : *Il y a un article sur une star **dont** je suis absolument fou. (Je suis absolument fou **de** cette star.)*
– complément d'un nom : *Tu devrais lire cet article **dont** les photos sont superbes. (Les photos **de** cet article sont superbes.)*

■ Les pronoms indéfinis avec *de* + adjectif (ou participe passé)

ne ... aucun(e) – ne ... pas un(e) – ne ... personne – quelque chose – quelqu'un – quelques-un(e)s – ne ... rien, etc. : *Elle a **quelque chose de** mystérieux.*

■ Les pronoms indéfinis avec *de* + nom ou + *d'entre* + pronom (*nous, vous, eux, elles*)

ne ... aucun(e) – certain(e,s) – chacun(e) – ne ... pas un(e) – plusieurs – quelques-un(e)s, etc. : *Il m'a parlé de **quelques-uns des** sports qu'il pratique.*

■ Les doubles pronoms COD et COI

Les pronoms *me, te, se, nous, vous*	sont placés avant	les pronoms *le, la, les*	qui sont eux-mêmes placés avant	les pronoms *lui, leur*

*Ce cadeau ? Je **vous le** donne ! – Cette nouvelle ? Tu **la lui** annonces !*

Le groupe verbal

1 Le plus-que-parfait

■ Il exprime une action antérieure à une autre action passée : *Il a commencé à pleuvoir. Mais j'avais pris mon parapluie !*

■ Il se forme à l'aide de l'auxiliaire *avoir* ou *être* à l'imparfait et du participe passé : *Elle **avait réservé** des chambres.*

→ Rappel des verbes utilisés avec *être* : les verbes pronominaux ainsi que *aller, venir, arriver, partir, monter, descendre, entrer, sortir, rester, retourner, tomber, naître, mourir,* etc.
– Avec *être*, le participe passé s'accorde avec le sujet : *Nous **étions montés** aux Diablerets le samedi soir.*
– Avec *avoir*, le participe passé s'accorde avec le COD, quand il est placé **avant** le verbe : *C'était la poudre de lait qu'un pharmacien suisse **avait inventée** dix ans plus tôt.*

2 Le conditionnel présent

■ Il sert à exprimer une demande polie, une suggestion, un conseil, un souhait ou une supposition.

■ Il se forme en ajoutant les terminaisons **-rais**, **-rais**, **-rait**, **-rions**, **-riez**, **-raient** (= futur simple + terminaisons de l'imparfait)
– à la 1re personne du singulier au présent pour les verbes en **–er** : aimer → j'aime → j'aime**rais**
– au radical de l'infinitif pour les verbes en **–ir** ou **–re** : fini **r** → je fini**rais** – di **re** → je di**rais** – mett **re** → je mett**rais**

Verbes irréguliers : aller → j'**irais** – avoir → j'**aurais** – devoir → je **devrais** – être → je **serais** – envoyer → j'**enverrais** – tenir → je **tiendrais** – apercevoir → j'**apercevrais**

3 Le conditionnel passé

■ Il se forme avec *avoir* ou *être* au conditionnel présent et le participe passé du verbe : *Je **me serais levé** plus tôt. J'**aurais fait** les courses.*

■ Le conditionnel passé sert à exprimer un regret ou un reproche : *J'**aurais aimé** me rendre utile ! Ils **auraient pu** me dire qu'ils avaient besoin d'aide !*

4 Le futur antérieur

■ Il se forme avec *avoir* ou *être* au futur simple et le participe passé du verbe.

■ Il sert à exprimer :
– une action considérée comme accomplie dans le futur : *Demain, j'**aurai vu** avec le principal quelle décision prendre.*
– une action future, antérieure à une autre présentée au futur simple : *Quand je **serai revenue**, nous **aurons** une explication !*
– une hypothèse à propos d'un événement passé : *Je me **serai trompée** !*
– une récapitulation, un bilan : *Le Théâtre de la Huchette **aura joué** sans interruption* La leçon *depuis 1957.*

5 Le subjonctif présent

■ Il se forme en utilisant la conjonction *que* et le radical de la 3e personne du pluriel au présent + les terminaisons –e, –es, –e, –ions, –iez, –ent.

acheter	→ achètent	→ que j'achèt**e**	finir	→ finissent	→ qu'il /elle / on finiss**e**
écrire	→ écrivent	→ que tu écriv**es**	voir	→ voient	→ qu'ils / elles voi**ent**

La 1re et 2e personnes du pluriel correspondent aux formes de l'imparfait.

acheter	→ que nous achet**ions**	prendre	→ que nous pren**ions**
boire	→ que vous buv**iez**	venir	→ que vous ven**iez**

Verbes irréguliers :

être	→ que je **sois**	il faut	→ qu'il **faille**
avoir	→ que tu **aies**	pouvoir	→ que nous **puissions**
aller	→ qu'il / elle / on **aille**	savoir	→ que vous **sachiez**
faire	→ qu'il / elle / on **fasse**	vouloir	→ qu'ils / elles **veuillent**

■ Il peut s'employer après des tournures impersonnelles. Il exprime une possibilité, une opinion, une obligation, etc.
*Il est / C'est… possible que, prévu que, nécessaire que, important que, essentiel que, utile que ; il vaut mieux que, il faut que, etc. : Il vaut mieux que tu **sois** un touriste responsable, non ?*

■ Il s'emploie avec des verbes qui expriment une volonté, un souhait : *j'aimerais que, j'ai envie que, je demande que, je préfère que, je souhaite que, je veux (voudrais) que, etc. : J'aimerais beaucoup qu'on **fasse** un reportage sur moi !*

■ Il s'emploie avec des verbes qui expriment un consentement, un doute ou un refus : *j'accepte que, je comprends que, je doute que, je propose que, je refuse que, je veux bien que, etc. : Je veux bien que chacun **ait** ses stars préférées.*

■ Il s'emploie avec des verbes et dans des locutions qui expriment une émotion, une appréciation, un sentiment : *J'adore que, j'aime que, j'ai peur que, je déteste que, je m'étonne que, etc. Je suis content / fâché / fier / surpris / triste que, etc. Je trouve amusant / bizarre / intéressant / normal / pénible / terrible que, etc. : Je trouve bizarre que tu **lises** ça !*

■ Il s'emploie avec des locutions conjonctives comme *avant que, bien que, à condition que, pour que, pourvu que, sans que* : **avant que** exprime l'antériorité ; **bien que** exprime la concession ; **à condition que** exprime la condition ; **pour que** exprime le but ; **pourvu que** exprime le souhait ; **sans que** exprime la manière.

– Pour utiliser *avant que, pour que* et *sans que* le sujet de la subordonnée et celui de la principale doivent être différents : *J'aimerais bien m'entraîner* **avant que** tout le monde **soit** *là*.

– Si le sujet de la subordonnée et celui de la principale sont les mêmes, on utilise *avant de, pour* et *sans* + infinitif : *J'aimerais bien m'entraîner* **avant de** *jouer*.

– Même chose avec les verbes qui expriment une volonté, un sentiment, etc. *Je veux* **que** tu *viennes* ! Mais : *Je veux venir* ! – *J'accepte* **que** tu *partes* ! Mais : *J'accepte de partir* ! – *Je suis content* **que** tu *sois là* ! Mais : *Je suis content d'être là* !

■ Après des verbes comme *croire que, être certain que, être sûr que, penser que, se rappeler que, trouver que*, **l'indicatif** s'emploie lorsque ces verbes sont à la forme affirmative mais le **subjonctif** s'emploie lorsqu'ils sont à la forme négative : *Je suis sûr que nous* **avons** *tout compris* ! – *Moi, je ne suis pas sûr que nous* **ayons** *tout compris* !

La phrase

1 Le discours et l'interrogation indirects

■ Le discours indirect permet de rapporter ce que dit quelqu'un. Il est introduit par **que**. *Joséphine dit : « J'écris un site sur la Roumanie ! »* → *Joséphine dit* **qu'**elle écrit un site sur la Roumanie.

■ L'interrogation directe est introduite par **si** ou **ce que** : *Sa mère demande à Joséphine : « **Qu'est-ce que tu fais** là ? »* → *Sa mère lui demande* **ce qu'elle fait** *là*.

Sinon, les mots interrogatifs restent les mêmes que dans l'interrogation directe. Les personnes, ainsi que le temps des verbes, sont transposés du point de vue du narrateur.

2 La concordance des temps

■ Si le verbe introducteur est au présent ou au futur, il n'y a pas de changements de temps dans le discours rapporté : *Il me demande : « Combien font un et un ? »* → *Il me demande combien* **font** *un et un*.

■ Si le verbe introducteur est au passé (composé ou imparfait) :

– le présent devient imparfait : *Il m'a demandé : « Combien font un et un ? »* → *Il m'a demandé combien* **faisaient** *un et un*.

– le passé composé devient plus-que-parfait : *Il m'a dit : « Vous n'avez pas fait attention ! »* → *Il m'a dit que je* **n'avais pas fait** *attention*.

– le futur simple devient conditionnel présent : *Elle lui dit : « Tu auras bientôt des problèmes. »* → *Elle lui dit* **qu'il aurait** *bientôt des problèmes*.

– le futur antérieur devient conditionnel passé : *Il m'a confié : « Dans cinq minutes, je lui aurai envoyé un texto. »* → *Il m'a confié que dans cinq minutes,* **il lui aurait** *envoyé un texto*.

3 Le passif

■ Il s'emploie pour mettre en valeur la personne / la chose qui subit l'action. Le verbe est conjugué avec l'auxiliaire *être* : *Emma est invitée par sa famille algérienne*.

■ Le sujet de la phrase active devient complément d'agent (CA) de la phrase passive. Le COD, complément d'objet direct, de la phrase active devient sujet de la phrase passive. La préposition **par** introduit le complément d'agent : *Un guide* (sujet) *prépare le voyage* (COD). → *Le voyage* (sujet) **est préparé par** *un guide* (CA).

– Seuls les verbes transitifs (qui ont un COD) peuvent avoir une forme passive : *Les femmes parlaient d'un jeune homme.* → Transformation à la forme passive **impossible** !

– Quand le sujet de la phrase active pourrait être *on*, le verbe passif n'a pas de complément d'agent : *Une bonne nouvelle a été annoncée* (par on).

– Le participe passé du verbe passif s'accorde toujours avec le sujet : **La jeune fille** *a été accueillie par la famille de son mari*.

– Avec des verbes de description et si le complément d'agent est un objet, celui-ci est introduit par la préposition **de** (**d'**) : *La cour est entourée* **d'**arcades. *Les murs sont décorés* **de** *céramiques*.

4 Le gérondif

■ *En* + participe présent se forme sur le radical de la 1re personne du pluriel au présent : *manger → nous mangeons → en mangeant*. Exceptions : *être → en **étant** – avoir → en **ayant** – savoir → en **sachant***

■ Il exprime :

– une action dont le sujet est le même que celui du verbe de la phrase : ***En mangeant** des fruits, **tu** fais le plein de vitamines.* (= *Quand **tu** manges des fruits, **tu** fais le plein de vitamines.*)

– la simultanéité : il indique que l'action se déroule en même temps que celle du verbe de la phrase : *Tin se lève pour rejoindre sa place **en lançant** un bras.* (= *Tin se lève pour rejoindre sa place **et** lance un bras.*)

– la localisation dans le temps : ***En respirant** l'air du matin, Mùi sent l'odeur de la papaye.* (= ***Quand** elle respire l'air du matin, Mùi sent l'odeur de la papaye.*)

– la condition ou la cause : ***En mangeant** comme tu le fais, tu deviendras obèse.* (= ***Si** tu manges comme tu le fais, tu deviendras obèse.*)

– la manière : *Tu peux aussi transformer ce plat **en le faisant** griller au four.* (= *Tu peux aussi transformer ce plat **de la manière suivante** : tu le fais griller au four.*)

5 La négation

■ La négation *ne ... que (qu')*

On peut aussi utiliser l'adverbe *seulement* (ou l'adjectif *seul* devant un sujet), sans négation. *Seul, seulement* et *ne ... que* expriment une restriction par rapport :

– au sujet de la phrase : ***il n'y a que...** qui* + subjonctif = ***seul(e)*** : *Il **n'y a que** Seydou **qui** me comprenne.* = ***Seul** Seydou me comprend.*

– au COD : *Elle **ne** voit **que** des jeux vidéo.* = *Elle voit **seulement** des jeux vidéo.*

– au COI : *Elle **ne** s'intéresse **qu'**à ses « magazines people ».* = *Elle s'intéresse **seulement** à ses « magazines people ».*

– au complément de temps ou de lieu : *Je **n'**aurai fini **que** dans deux jours.* = *J'aurai fini **seulement** dans deux jours.*

– à la structure *c'est* : *Ce **n'**est **qu'**une première petite exposition.* = *C'est **seulement** une première petite exposition.*

■ La négation *ne (n') ... ni ... ni*

La négation d'au moins deux éléments de phrase liés par *et* ou bien *ou* peut être exprimée par *ne (n') ... ni ... ni.*

– Elle peut s'utiliser avec plusieurs sujets : *Théo n'a pas été sympa et Max non plus.* → ***Ni** Théo **ni** Max n'ont été sympas.*

– Elle peut s'utiliser avec plusieurs compléments (COD, COI, etc.) : *Léa n'a pas entendu le réveil et le téléphone non plus.* → *Elle **n'**a entendu **ni** le réveil **ni** le téléphone.*

– Elle peut s'utiliser avec plusieurs verbes : *Elle ne sait pas bricoler et elle ne sait pas coudre non plus.* → *Elle **ne** sait **ni** bricoler **ni** coudre.*

– Avec l'article partitif : *Il n'y aura pas de boissons et pas de sandwichs non plus.* → Deux solutions : **1** *Il n'y aura **pas de** boissons **ni de** sandwichs.* **2** *Il n'y aura **ni** boissons **ni** sandwichs.*

6 La question avec inversion du verbe et du sujet

– Elle s'emploie en situation de communication orale formelle ou à l'écrit : *Comment allez-vous ?*

– Il y a toujours un tiret entre le verbe et le pronom : *Où es-tu ?*

– *Est-ce que* n'apparaît pas dans la question avec inversion : *Est-ce qu'on peut jouer assis ?* → *Peut-on jouer assis ?*

– Si le verbe se termine par une voyelle, on ajoute *-t-* entre le verbe et les pronoms *il / elle / on* : *Sera**-t-**elle à l'heure ?*

– S'il y a un nom (commun ou propre) dans la question, il apparaît juste avant le verbe + tiret + pronom *il(s) / elle(s)* : *Pourquoi **Agathe** arrive**-t-**elle toujours en retard ?*

– Si la question comporte un infinitif ou un participe passé, celui-ci suit immédiatement le pronom : *Quand Théo a**-t-**il **commencé** à jouer de cet instrument ?*

La localisation dans le temps

■ *depuis, pendant, il y a* et *dans*
– Les prépositions *depuis* et *pendant* indiquent la **durée** d'une action : *J'habite ici **depuis** trois ans.* (Utilisation du présent : *j'y habite encore.*)
*J'ai habité ici **pendant** trois ans.* (Utilisation du passé : *je n'y habite plus.*)
– L'expression *il y a* et la préposition *dans* servent à indiquer le **moment** où l'action a eu lieu (*il y a*) ou aura lieu (*dans*) : *Je suis arrivée **il y a** trois mois. Je pars **dans** trois mois.*

■ *avant* et *après*
Avant peut être suivi de la préposition *de* + infinitif : ***Avant de** commencer, choisissez le titre de votre site !*
Après est suivi de l'infinitif passé : ***Après avoir** écrit la page d'accueil, préparez le contenu des autres pages !*
Avant que est suivi du subjonctif : *J'aimerais m'entraîner avant que tout le monde soit là.*
Après que est suivi de l'indicatif : *Après que vous êtes partis, je me suis reposée.*

■ *alors que* et *tandis que*
Elles expriment la simultanéité (= « pendant le temps que… ») : *Il s'est mis à neiger **tandis que** nous rentrions à la maison.*
Alors que marque aussi la comparaison : *Le printemps est le temps des sucres **alors que** l'automne est celui des couleurs.*
Tandis que peut aussi marquer l'opposition : *Moi, je pars travailler **tandis que** toi, tu restes bien au chaud à la maison !*

La manière

Les adverbes en *–ment*
Ils se forment en ajoutant *–ment* à l'adjectif au féminin : *doux / douce* → *douc**ement***
– long / longue → *longu**ement***
Exceptions : – Adjectifs en *–ai* (*vrai*), *–i* (*joli*), *–u* (*absolu*) : Ils se forment en ajoutant *–ment* à l'adjectif au **masculin** : *vrai**ment**, joli**ment**, absolu**ment***
– Adjectifs en *–ent* (*différent*), *–ant* (*méchant*) : ils se forment en ajoutant *–emment* : *différ**emment*** ou *–amment* : *méch**amment*** ; sauf *lent* → *lentement*
– Autres irrégularités : *énorme* → *énorm**é**ment* – *précis* → *précis**é**ment* – *profond* → *profond**é**ment* – *gentil* → *gent**i**ment* – *grave* → *gri**è**vement* (ou *gravement*)

La cause, le but et la conséquence

■ *parce que, puisque* et *comme*
– La subordonnée avec *parce que* est <u>après</u> la principale : *Je n'aime pas la motoneige **parce qu'**elle ne respecte pas la nature.*
On peut mettre en relief la cause avec *c'est parce que* : ***C'est parce que** mon père nous a fait faire beaucoup de sport.*
– La subordonnée avec *comme* est toujours <u>avant</u> la principale. La cause n'est connue que du locuteur : ***Comme** il neige au Québec six mois par an, je fais beaucoup de ski.*
– La subordonnée avec *puisque* est souvent <u>avant</u> la principale. La cause est connue des interlocuteurs : ***Puisque** tu aimes le froid, tu devrais aimer le canot à glace et le rafting*

■ *pour* et *pour que*
– Avec *pour que* le sujet de la subordonnée et celui de la principale doivent être différents : *$\boxed{Je}$ te donne mon numéro **pour que** $\boxed{tu}$ m'appelles.*
Le verbe de la subordonnée est au subjonctif.
– Si le sujet de la subordonnée et celui de la principale sont les mêmes, on utilise *pour* + infinitif : *Tu fais ce numéro **pour** m'appeler.*

La condition et l'hypothèse

■ *si* + imparfait + conditionnel présent
Cette construction exprime une hypothèse qui a peu de chances de se réaliser : <u>*Si je ne lui montrais pas*</u> *des livres d'art de temps en temps, <u>elle n'imaginerait</u> même pas que l'art, ça puisse exister !*
Le verbe de la subordonnée, introduit par *si* est à l'imparfait, le verbe de la principale est au conditionnel présent.

■ *si* + plus-que-parfait + conditionnel passé
Cette construction exprime une hypothèse qui n'a plus aucune chance de se réaliser : <u>*Si j'avais entendu*</u> *mon réveil, <u>je me serais levée</u> plus tôt.*
Le verbe de la subordonnée, introduit par *si* est au plus-que-parfait, le verbe de la principale est au conditionnel passé.

Conjugaisons

Infinitif	Présent	Imparfait	Futur simple	Conditionnel présent	Passé composé	Subjonctif présent	Participe présent
Verbes en -er							
acheter	j'achète tu achètes il / elle / on achète nous achetons vous achetez ils / elles achètent	j'achetais tu achetais il / elle / on achetait nous achetions vous achetiez ils / elles achetaient	j'achèterai tu achèteras il / elle / on achètera nous achèterons vous achèterez ils / elles achèteront	j'achèterais tu achèterais il / elle / on achèterait nous achèterions vous achèteriez ils / elles achèteraient	j'ai acheté	que j'achète que tu achètes qu'il / elle / on achète que nous achetions que vous achetiez qu'ils / elles achètent	achetant
appeler	j'appelle tu appelles il / elle / on appelle nous appelons vous appelez ils / elles appellent	j'appelais tu appelais il / elle / on appelait nous appelions vous appeliez ils / elles appelaient	j'appellerai tu appelleras il / elle / on appellera nous appellerons vous appellerez ils / elles appelleront	j'appellerais tu appellerais il / elle / on appellerait nous appellerions vous appelleriez ils / elles appelleraient	j'ai appelé	que j'appelle que tu appelles qu'il / elle / on appelle que nous appelions que vous appeliez qu'ils / elles appellent	appelant
commencer	je commence tu commences il / elle commence nous commençons vous commencez ils commencent	je commençais tu commençais il / elle commençait nous commencions vous commenciez ils commençaient	je commencerai tu commenceras il / elle commencera nous commencerons vous commencerez ils commenceront	je commencerais tu commencerais il / elle commencerait nous commencerions vous commenceriez ils commenceraient	j'ai commencé	que je commence que tu commences qu'il / elle commence que nous commencions que vous commenciez qu'ils commencent	commença...
crier	je crie tu cries il / elle / on crie nous crions vous criez ils / elles crient	je criais tu criais il / elle / on criait nous criions vous criiez ils / elles criaient	je crierai tu crieras il / elle / on criera nous crierons vous crierez ils / elles crieront	je crierais tu crierais il / elle / on crierait nous crierions vous crieriez ils / elles crieraient	j'ai crié	que je crie que tu cries qu'il / elle / on crie que nous criions que vous criiez qu'ils / elles crient	criant
envoyer	j'envoie tu envoies il / elle / on envoie nous envoyons vous envoyez ils / elles envoient	j'envoyais tu envoyais il / elle / on envoyait nous envoyions vous envoyiez ils / elles envoyaient	j'enverrai tu enverras il / elle / on enverra nous enverrons vous enverrez ils / elles enverront	j'enverrais tu enverrais il / elle / on enverrait nous enverrions vous enverriez ils / elles enverraient	j'ai envoyé	que j'envoie que tu envoies qu'il / elle / on envoie que nous envoyions que vous envoyiez qu'ils / elles envoient	envoyant
manger	je mange tu manges il / elle / on mange nous mangeons vous mangez ils mangent	je mangeais tu mangeais il / elle / on mangeait nous mangions vous mangiez ils mangeaient	je mangerai tu mangeras il / elle / on mangera nous mangerons vous mangerez ils / elles mangeront	je mangerais tu mangerais il / elle / on mangerait nous mangerions vous mangeriez ils mangeraient	j'ai mangé	que je mange que tu manges qu'il / elle / on mange que nous mangions que vous mangiez qu'ils / elles mangent	mangeant
payer	je paye/paie tu payes/paies il / elle paye/paie nous payons vous payez ils payent/paient	je payais tu payais il / elle payait nous payions vous payiez ils payaient	je payerai/paierai tu payeras/paieras il / elle payera/paiera nous payerons/paierons vous payerez/paierez ils payeront/paieront	je payerais/paierais tu payerais/paierais il / elle payerait/paierait nous payerions/paierions vous payeriez/paieriez ils payeraient/paieraient	j'ai payé	que je paye/paie que tu payes/paies qu'il / elle paye/paie que nous payions que vous payiez qu'ils payent/paient	payant
Verbes en -ir							
finir	je finis tu finis il / elle / on finit nous finissons vous finissez ils / elles finissent	je finissais tu finissais il / elle / on finissait nous finissions vous finissiez ils / elles finissaient	je finirai tu finiras il / elle / on finira nous finirons vous finirez ils / elles finiront	je finirais tu finirais il / elle / on finirait nous finirions vous finiriez ils / elles finiraient	j'ai fini	que je finisse que tu finisses qu'il / elle / on finisse que nous finissions que vous finissiez qu'ils / elles finissent	finissant
Verbes en -re							
attendre	j'attends tu attends il / elle / on attend nous attendons vous attendez ils / elles attendent	j'attendais tu attendais il / elle / on attendait nous attendions vous attendiez ils/ elles attendaient	j'attendrai tu attendras il / elle / on attendra nous attendrons vous attendrez ils / elles attendront	j'attendrais tu attendrais il / elle / on attendrait nous attendrions vous attendriez ils / elles attendraient	j'ai attendu	que j'attende que tu attendes qu'il / elle / on attende que nous attendions que vous attendiez qu'ils / elles attendent	attendant
Verbes pronominaux							
se lever	je me lève tu te lèves il / elle / on se lève nous nous levons vous vous levez ils / elles se lèvent	je me levais tu te levais il / elle / on se levait nous nous levions vous vous leviez ils / elles se levaient	je me lèverai tu te lèveras il / elle / on se lèvera nous nous lèverons vous vous lèverez ils / elles se lèveront	je me lèverais tu te lèverais il / elle / on se lèverait nous nous lèverions vous vous lèveriez ils / elles se lèveraient	je me suis levé(e)	que je me lève que tu te lèves qu'il / elle / on se lève que nous nous levions que vous vous leviez qu'ils / elles se lèvent	me levant
Verbes irréguliers							
aller	je vais tu vas il / elle / on va nous allons vous allez ils / elles vont	j'allais tu allais il / elle / on allait nous allions vous alliez ils / elles allaient	j'irai tu iras il / elle / on ira nous irons vous irez ils / elles iront	j'irais tu irais il / elle / on irait nous irions vous iriez ils / elles iraient	je suis allé(e)	que j'aille que tu ailles qu'il / elle / on aille que nous allions que vous alliez qu'ils / elles aillent	allant

Conjugaisons

Infinitif	Présent	Imparfait	Futur simple	Conditionnel présent	Passé composé	Subjonctif présent	Participe présent
avoir	j'ai tu as il / elle / on a nous avons vous avez ils / elles ont	j'avais tu avais il / elle / on avait nous avions vous aviez ils / elles avaient	j'aurai tu auras il / elle / on aura nous aurons vous aurez ils / elles auront	j'aurais tu aurais il / elle / on aurait nous aurions vous auriez ils / elles auraient	j'ai eu	que j'aie que tu aies qu'il / elle / on ait que nous ayons que vous ayez qu'ils / elles aient	ayant
être	je suis tu es il / elle / on est nous sommes vous êtes ils / elles sont	j'étais tu étais il / elle / on était nous étions vous étiez ils / elles étaient	je serai tu seras il / elle / on sera nous serons vous serez ils / elles seront	je serais tu serais il / elle / on serait nous serions vous seriez ils / elles seraient	j'ai été	que je sois que tu sois qu'il / elle / on soit que nous soyons que vous soyez qu'ils / elles soient	étant
boire	je bois tu bois il / elle / on boit nous buvons vous buvez ils / elles boivent	je buvais tu buvais il / elle / on buvait nous buvions vous buviez ils / elles buvaient	je boirai tu boiras il / elle / on boira nous boirons vous boirez ils / elles boiront	je boirais tu boirais il / elle / on boirait nous boirions vous boiriez ils / elles boiraient	j'ai bu	que je boive que tu boives qu'il / elle / on boive que nous buvions que vous buviez qu'ils / elles boivent	buvant
connaître	je connais tu connais il / elle / on connaît nous connaissons vous connaissez ils connaissent	je connaissais tu connaissais il / elle / on connaissait nous connaissions vous connaissiez ils connaissaient	je connaîtrai tu connaîtras il / elle / on connaîtra nous connaîtrons vous connaîtrez ils / elles connaîtront	je connaîtrais tu connaîtrais il / elle / on connaîtrait nous connaîtrions vous connaîtriez ils / elles connaîtraient	j'ai connu	que je connaisse que tu connaisses qu'il / elle connaisse que nous connaissions que vous connaissiez qu'ils / elles connaissent	connaissant
croire	je crois tu crois il / elle / on croit nous croyons vous croyez ils / elles croient	je croyais tu croyais il / elle / on croyait nous croyions vous croyiez ils / elles croyaient	je croirai tu croiras il / elle / on croira nous croirons vous croirez ils / elles croiront	je croirais tu croirais il / elle / on croirait nous croirions vous croiriez ils / elles croiraient	j'ai cru	que je croie que tu croies qu'il / elle / on croie que nous croyions que vous croyiez qu'ils / elles croient	croyant
devoir	je dois tu dois il / elle / on doit nous devons vous devez ils / elles doivent	je devais tu devais il / elle / on devait nous devions vous deviez ils / elles devaient	je devrai tu devras il / elle / on devra nous devrons vous devrez ils / elles devront	je devrais tu devrais il / elle / on devrait nous devrions vous devriez ils / elles devraient	j'ai **dû**	que je doive que tu doives qu'il / elle / on doive que nous devions que vous deviez qu'ils / elles doivent	devant
dire	je dis tu dis il / elle / on dit nous disons vous dites ils / elles disent	je disais tu disais il / elle / on disait nous disions vous disiez ils / elles disaient	je dirai tu diras il / elle / on dira nous dirons vous direz ils / elles diront	je dirais tu dirais il / elle / on dirait nous dirions vous diriez ils / elles diraient	j'ai dit	que je dise que tu dises qu'il / elle / on dise que nous disions que vous disiez qu'ils / elles disent	disant
dormir	je dors tu dors il / elle / on dort nous dormons vous dormez ils / elles dorment	je dormais tu dormais il / elle / on dormait nous dormions vous dormiez ils / elles dormaient	je dormirai tu dormiras il / elle / on dormira nous dormirons vous dormirez ils / elles dormiront	je dormirais tu dormirais il / elle / on dormirait nous dormirions vous dormiriez ils / elles dormiraient	j'ai dormi	que je dorme que tu dormes qu'il / elle / on dorme que nous dormions que vous dormiez qu'ils / elles dorment	dormant
écrire	j'écris tu écris il / elle / on écrit nous écrivons vous écrivez ils / elles écrivent	j'écrivais tu écrivais il / elle / on écrivait nous écrivions vous écriviez ils / elles écrivaient	j'écrirai tu écriras il / elle / on écrira nous écrirons vous écrirez ils / elles écriront	j'écrirais tu écrirais il / elle / on écrirait nous écririons vous écririez ils / elles écriraient	j'ai écrit	que j'écrive que tu écrives qu'il / elle / on écrive que nous écrivions que vous écriviez qu'ils / elles écrivent	écrivant
faire	je fais tu fais il / elle / on fait nous faisons vous faites ils / elles font	je faisais tu faisais il / elle / on faisait nous faisions vous faisiez ils / elles faisaient	je ferai tu feras il / elle / on fera nous ferons vous ferez ils / elles feront	je ferais tu ferais il / elle / on ferait nous ferions vous feriez ils / elles feraient	j'ai fait	que je fasse que tu fasses qu'il / elle / on fasse que nous fassions que vous fassiez qu'ils / elles fassent	faisant
lire	je lis tu lis il / elle / on lit nous lisons vous lisez ils / elles lisent	je lisais tu lisais il / elle / on lisait nous lisions vous lisiez ils / elles lisaient	je lirai tu liras il / elle / on lira nous lirons vous lirez ils / elles liront	je lirais tu lirais il / elle / on lirait nous lirions vous liriez ils / elles liraient	j'ai lu	que je lise que tu lises qu'il / elle / on lise que nous lisions que vous lisiez qu'ils / elles lisent	lisant
mettre	je mets tu mets il / elle / on met nous mettons vous mettez ils / elles mettent	je mettais tu mettais il / elle / on mettait nous mettions vous mettiez ils / elles mettaient	je mettrai tu mettras il / elle / on mettra nous mettrons vous mettrez ils / elles mettront	je mettrais tu mettrais il / elle / on mettrait nous mettrions vous mettriez ils / elles mettraient	j'ai mis	que je mette que tu mettes qu'il / elle / on mette que nous mettions que vous mettiez qu'ils / elles mettent	mettant

Conjugaisons

Infinitif	Présent	Imparfait	Futur simple	Conditionnel présent	Passé composé	Subjonctif présent	Participe présent
ouvrir	j'ouvre	j'ouvrais	j'ouvrirai	j'ouvrirais	j'ai ouvert	que j'ouvre	ouvrant
	tu ouvres	tu ouvrais	tu ouvriras	tu ouvrirais		que tu ouvres	
	il / elle / on ouvre	il / elle / on ouvrait	il / elle / on ouvrira	il / elle / on ouvrirait		qu'il / elle / on ouvre	
	nous ouvrons	nous ouvrions	nous ouvrirons	nous ouvririons		que nous ouvrions	
	vous ouvrez	vous ouvriez	vous ouvrirez	vous ouvririez		que vous ouvriez	
	ils / elles ouvrent	ils / elles ouvraient	ils / elles ouvriront	ils / elles ouvriraient		qu'ils / elles ouvrent	
partir	je pars	je partais	je partirai	je partirais	je suis parti(e)	que je parte	partant
	tu pars	tu partais	tu partiras	tu partirais		que tu partes	
	il / elle / on part	il / elle / on partait	il / elle / on partira	il / elle / on partirait		qu'il / elle / on parte	
	nous partons	nous partions	nous partirons	nous partirions		que nous partions	
	vous partez	vous partiez	vous partirez	vous partiriez		que vous partiez	
	ils / elles partent	ils / elles partaient	ils / elles partiront	ils / elles partiraient		qu'ils / elles partent	
perdre	je perds	je perdais	je perdrai	je perdrais	j'ai perdu	que je perde	perdant
	tu perds	tu perdais	tu perdras	tu perdrais		que tu perdes	
	il / elle / on perd	il / elle / on perdait	il / elle / on perdra	il / elle / on perdrait		qu'il / elle / on perde	
	nous perdons	nous perdions	nous perdrons	nous perdrions		que nous perdions	
	vous perdez	vous perdiez	vous perdrez	vous perdriez		que vous perdiez	
	ils / elles perdent	ils / elles perdaient	ils / elles perdront	ils / elles perdraient		qu'ils / elles perdent	
plaire	je plais	je plaisais	je plairai	je plairais	j'ai plu	que je plaise	plaisant
	tu plais	tu plaisais	tu plairas	tu plairais		que tu plaises	
	il / elle / on plait	il / elle / on plaisait	il / elle / on plaira	il / elle / on plairait		qu'il / elle / on plaise	
	nous plaisons	nous plaisions	nous plairons	nous plairions		que nous plaisions	
	vous plaisez	vous plaisiez	vous plairez	vous plairiez		que vous plaisiez	
	ils / elles plaisent	ils / elles plaisaient	ils / elles plairont	ils / elles plairaient		qu'ils / elles plaisent	
pouvoir	je peux	je pouvais	je pourrai	je pourrais	j'ai pu	que je puisse	pouvant
	tu peux	tu pouvais	tu pourras	tu pourrais		que tu puisses	
	il / elle / on peut	il / elle / on pouvait	il / elle / on pourra	il / elle / on pourrait		qu'il / elle / on puisse	
	nous pouvons	nous pouvions	nous pourrons	nous pourrions		que nous puissions	
	vous pouvez	vous pouviez	vous pourrez	vous pourriez		que vous puissiez	
	ils / elles peuvent	ils / elles pouvaient	ils / elles pourront	ils / elles pourraient		qu'ils / elles puissent	
prendre	je prends	je prenais	je prendrai	je prendrais	j'ai pris	que je prenne	prenant
	tu prends	tu prenais	tu prendras	tu prendrais		que tu prennes	
	il / elle / on prend	il / elle / on prenait	il / elle / on prendra	il / elle / on prendrait		qu'il / elle / on prenne	
	nous prenons	nous prenions	nous prendrons	nous prendrions		que nous prenions	
	vous prenez	vous preniez	vous prendrez	vous prendriez		que vous preniez	
	ils / elles prennent	ils / elles prenaient	ils / elles prendront	ils / elles prendraient		qu'ils / elles prennent	
savoir	je sais	je savais	je saurai	je saurais	j'ai su	que je sache	sachant
	tu sais	tu savais	tu sauras	tu saurais		que tu saches	
	il / elle / on sait	il / elle / on savait	il / elle / on saura	il / elle / on saurait		qu'il / elle / on sache	
	nous savons	nous savions	nous saurons	nous saurions		que nous sachions	
	vous savez	vous saviez	vous saurez	vous sauriez		que vous sachiez	
	ils / elles savent	ils / elles savaient	ils / elles sauront	ils / elles sauraient		qu'ils / elles sachent	
sortir	je sors	je sortais	je sortirai	je sortirais	je suis sorti(e)	que je sorte	sortant
	tu sors	tu sortais	tu sortiras	tu sortirais		que tu sortes	
	il / elle / on sort	il / elle / on sortait	il / elle / on sortira	il / elle / on sortirait		qu'il / elle / on sorte	
	nous sortons	nous sortions	nous sortirons	nous sortirions		que nous sortions	
	vous sortez	vous sortiez	vous sortirez	vous sortiriez		que vous sortiez	
	ils / elles sortent	ils / elles sortaient	ils / elles sortiront	ils / elles sortiraient		qu'ils / elles sortent	
venir	je viens	je venais	je viendrai	je viendrais	je suis venu(e)	que je vienne	venant
	tu viens	tu venais	tu viendras	tu viendrais		que tu viennes	
	il / elle / on vient	il / elle / on venait	il / elle / on viendra	il / elle / on viendrait		qu'il / elle / on vienne	
	nous venons	nous venions	nous viendrons	nous viendrions		que nous venions	
	vous venez	vous veniez	vous viendrez	vous viendriez		que vous veniez	
	ils / elles viennent	ils / elles venaient	ils / elles viendront	ils / elles viendraient		qu'ils / elles viennent	
vivre	je vis	je vivais	je vivrai	je vivrais	j'ai vécu	que je vive	vivant
	tu vis	tu vivais	tu vivras	tu vivrais		que tu vives	
	il / elle / on vit	il / elle / on vivait	il / elle / on vivra	il / elle / on vivrait		qu'il / elle / on vive	
	nous vivons	nous vivions	nous vivrons	nous vivrions		que nous vivions	
	vous vivez	vous viviez	vous vivrez	vous vivriez		que vous viviez	
	ils / elles vivent	ils / elles vivaient	ils / elles vivront	ils / elles vivraient		qu'ils / elles vivent	
voir	je vois	je voyais	je verrai	je verrais	j'ai vu	que je voie	voyant
	tu vois	tu voyais	tu verras	tu verrais		que tu voies	
	il / elle / on voit	il / elle / on voyait	il / elle / on verra	il / elle / on verrait		qu'il / elle / on voie	
	nous voyons	nous vo**yi**ons	nous verrons	nous verrions		que nous vo**yi**ons	
	vous voyez	vous vo**yi**ez	vous verrez	vous verriez		que vous vo**yi**ez	
	ils / elles voient	ils / elles voyaient	ils / elles verront	ils / elles verraient		qu'ils / elles voient	
vouloir	je veux	je voulais	je voudrai	je voudrais	j'ai voulu	que je veuille	voulant
	tu veux	tu voulais	tu voudras	tu voudrais		que tu veuilles	
	il / elle / on veut	il / elle / on voulait	il / elle / on voudra	il / elle / on voudrait		qu'il / elle / on veuille	
	nous voulons	nous voulions	nous voudrons	nous voudrions		que nous voulions	
	vous voulez	vous vouliez	vous voudrez	vous voudriez		que vous vouliez	
	ils / elles veulent	ils / elles voulaient	ils / elles voudront	ils / elles voudraient		qu'ils / elles veuillent	

Lexique

Le numéro à gauche est le numéro de l'unité où le mot apparaît pour la première fois. Les adjectifs sont suivis de leur terminaison ou de leur forme au féminin entre parenthèses, si elle est différente du masculin. Les noms sont suivis de leur terminaison au pluriel, si elle est particulière.

adj.	adjectif	interr.	interrogatif	pl.	pluriel	v. intr.	verbe intransitif
adv.	adverbe	loc.	locution	prép.	préposition	v. pron.	verbe pronominal
conj.	conjonction	n. f.	nom féminin	pron.	pronom	v. tr.	verbe transitif
indéf.	indéfini	n. m.	nom masculin	verb.	verbal(e)	v. tr. ind.	verbe transitif indirect

		anglais	espagnol	grec	russe
A					
6	abolition, n. f.	abolition	abolición	κατάργηση	отмена, упразднение
3	abriter, v. tr.	to shelter	acoger	αποτελώ καταφύγιο	укрывать от, защищать от
5	absentéisme, n. m.	absenteeism	absentismo	απουσιασμός	абсентеизм, неявка
5	absolument, adv.	absolutely	en absoluto	καθόλου (σε άρνηση), απόλυτα	абсолютно, совершенно
1	absurde, adj.	absurd	absurdo(a)	παράλογο	нелепый, абсурдный
12	académie, n. f.	academy	academia	ακαδημία	академия
12	académicien, n. m.	academician	académico	μέλος της ακαδημίας	академик
6	accepter, v. tr.	to accept	aceptar	δέχομαι	принимать, соглашаться на
5	accès (entrée), n. m.	entry	acceso	είσοδος	доступ
7	accompagner, v. tr.	to accompany	acompañar	συνοδεύω	сопровождать
11	accomplir, v. tr.	to accomplish	realizar	τελειώνω, περατώνω	совершать, исполнять
7	accordéon, n. m.	accordion	acordeón	ακορντεόν	аккордеон
4	acide, adj.	sour	ácido-a	όξινος (-η, -ο)	кислый(-ая)
2	accueillir, v. tr.	to welcome	recibir	υποδέχομαι	встречать, принимать
5	adapté(e), adj.	adapted	adaptado(a)	προσαρμοσμένος (-η, -ο)	адаптированный(-ая)
3	addition, n. f.	addition	suma	πρόσθεση	добавление, счёт
3	additionner, v. tr.	to add	sumar	προσθέτω	складывать
12	administration, n. f.	administration	administración	διοίκηση	администрация
3	admiration, n. f.	admiration	admiración	θαυμασμός	восхищение
5	aéroport, n. m.	airport	aeropuerto	αεροδρόμιο	аэропорт
7	africain(e), n. m. (f.) ou adj.	African	africano(a)	Αφρικανός (-ή) / αφρικανικός (-ή, -ό)	африканец(-ка), африканский(-ая)
7	Afrique, n. f.	Africa	África	Αφρική	Африка
4	agneau, n. m.	lamb	cordero	αρνί	ягнёнок
3	aigle, n. m.	eagle	águila	αετός	орёл
2	air (gaz), n. m.	air	aire (gas)	αέρας	воздух
1	ajouter, v. tr.	to add	añadir	προσθέτω	добавлять
8	Algérie, n. f.	Algeria	Argelia	Αλγερία	Алжир
8	algérien(ne), n. m. (f.) ou adj.	Algerian	argelino(a)	αλγερινός (-ή, - ό)	алжирец(-ка), алжирский(-ая)
1	allemand(e), n. m. (f.) ou adj.	German	alemán(-ana)	Γερμανός (-ίδα) / γερμανικός (-ή, -ό)	немец (немка), немецкий(-ая)
8	allumé(e), adj.	lit (up)	encendido(a)	αναμμένος (-η, -ο)	воспламененный(-ая)
3	allumette, n. f.	match	cerilla	σπίρτο	спичка
11	alors que (= pendant que), conj.	while	cuando (= mientras que)	ενώ	во время того, как
2	amande, n. f.	almond	almendra	αμύγδαλο	миндаль
2	s'amasser, v. pron.	to gather	acumular(se)	μαζεύομαι	скапливаться
4	amer (-ère), adj.	bitter	amargo (a)	πικρός (-ή, -ό)	горький(-ая)
12	Amérique, n. f.	America	América	Αμερική	Америка
9	amusement, n. m.	fun, amusement	diversión	διασκέδαση	развлечение
6	ananas, n. m.	pineapple	piña	ανανάς	ананас
8	ancêtre, n. m. ou f.	ancestor	ancestro	πρόγονος	предок
8	ancien(ne), adj.	old	antiguo(a)	παλιός (-ιά, -ιό)	старинный(-ая)
12	animer, v. tr.	to liven up	animar	εμψυχώνω	вести (передачу), воодушевлять
3	annoncer, v. tr.	to announce	anunciar	ανακοινώνω	объявлять
5	apparemment, adv.	apparently	al parecer	κατά τα φαινόμενα	с виду, по виду
6	appartenir, v. tr. ind.	to belong to	pertenecer	ανήκω	принадлежать
10	apporter, v. tr.	to bring	aportar	φέρνω	принести
5	apprécier, v. tr.	to appreciate	apreciar	εκτιμώ, μου αρέσει πολύ	оценить
11	s'approcher, v. pron.	to approach	acercarse	πλησιάζω	приблизиться
7	arabe, adj.	Arab, Arabic	árabe	αραβικός (-ή, -ό)	арабский(-ая)
8	arbre généalogique, n. m.	family tree	árbol genealógico	γενεαλογικό δέντρο	родословное дерево
8	arcade, n. f.	arcade	arco	αψίδα	свод, арка
3	arithmétique, n. f.	arithmetic	aritmética	αριθμητική	арифметика
8	arrière-grand-mère, n. f.	great grandmother	bisabuela	προγιαγιά	прабабушка
8	arrière-grand-père, n. m.	great grandfather	bisabuelo	προπάππος	прадедушка
8	arrière-grands-parents, n. m. pl.	great grandchildren	bisabuelos	προπαππούδες	прабабушка и прадедушка
8	arrière-petite-fille, n. f.	great granddaughter	biznieta	δισέγγονη	правнучка
8	arrière-petit-fils, n. m.	great grandson	biznieto	δισέγγονος	правнук
9	arrogance, n. f.	arrogance	arrogancia	αλαζονεία, υπεροψία	надменность
12	Asie-Pacifique, n.	Asia-Pacific	Asia-Pacífico	Ασία-Ειρηνικός	Азия – Тихий океан
2	s'asseoir, v. pron.	to sit down	sentar(se)	κάθομαι	садиться
2	assis(e), adj.	sitting down	sentado(a)	καθιστός (-ή, -ό)	сидящий(-ая)
11	assister, v. intr.	to attend	asistir	παρευρίσκομαι	помогать, ассистировать
10	association, n. f.	association	asociación	σύλλογος	ассоциация
7	atelier, n. m.	workshop	taller	ατελιέ	ателье
11	attirance, n. f.	attraction	atracción	έλξη	влечение, тяга
12	attraper, v. tr.	to catch	atrapar	πιάνω	поймать, схватить
2	auberge de jeunesse, n. f.	youth hostel	albergue juvenil	ξενώνας νεότητας	туристическая база для молодёжи
11	aucun(e), adj. et pron.	none, no	ningún(-na)	κανείς ή κανένας (καμία, κανένα)	никто, никакой(-ая)
10	autel, n. m.	altar	altar	βωμός	алтарь
9	autorité, n. f.	authority	autoridad	εξουσία	власть
8	autour (de), prép.	around	alrededor (de)	γύρω από	вокруг
5	avaler, v. tr.	to swallow	tragar	καταπίνω	проглотить
10	s'avancer, v. pron.	to move forward	avanzar	προχωρώ	продвигаться
7	avant que, conj.	before	antes de que	πριν να	до того как
11	avoir lieu, loc. verb.	to be held	tener lugar	συμβαίνει, λαμβάνει χώρα	происходить, иметь место
2	avoir un faible pour, loc. verb.	to have a weakness for	sentir debilidad por	έχω αδυναμία σε κάτι, μου αρέσει ιδιαίτερα	иметь тягу к
B					
8	baigner, v. tr. et intr.	to bathe	bañar	λούζω	купать
9	baissé(e), adj.	lowered	bajado(a)	χαμηλωμένος (-η, -ο)	опущенный(-ая) (взгляд)
2	barre (de chocolat), n. f.	bar	barra	μπάρα	батончик
2	barré(e), adj.	blocked	tachado(a)	μπλοκαρισμένος (-η, -ο)	загороженный(-ая)
11	baseball, n. m.	baseball	béisbol	μπέιζμπολ	бейсбол
4	basilic, n. m.	basil	albahaca	βασιλικός	базилик

	French	English	Spanish	Greek	Russian
7	batterie (instrument de musique), n. f.	drums	batería (instrumento musical)	ντραμς	группа ударных инструментов
8	bavardage, n. m.	chatter	charla	κουβεντούλα	болтовня
8	bavarder, v. intr.	to chat	charlar	κουβεντιάζω	болтать
8	beau-frère, n. m.	brother-in-law	cuñado	κουνιάδος	шурин, деверь
8	belle-fille, n. f.	daughter-in-law	nuera	νύφη	невестка, сноха
8	belle-sœur, n. f.	sister-in-law	cuñada	κουνιάδα	свояченица, золовка
2	bêtement, adv.	stupidly	tontamente	ηλιθιωδώς	глупо
1	belge, n. m. (ou f.) ou adj.	Belgian	belga	Βέλγος (-ίδα) / βελγικός (-ή. –ό)	бельгиец(-ка), бельгийский(-ая)
1	Belgique, n. f.	Belgium	Bélgica	Βέλγιο	Бельгия
10	bénévole, n. ou adj.	volunteer	voluntario(a)	εθελοντής (-όντρια) άνευ αμοιβής	доброволец, добровольный(-ая)
10	bidon (de fuel), n. m.	can	bidón (de fuel)	μπιτόνι	бидон
7	bien que, conj.	although	aunque	παρά το γεγονός	хотя
5	bilan carbone, n. m.	carbon footprint	balance de carbono	ισοζύγιο άνθρακα	углеродный баланс
4	bœuf, n. m.	beef	buey	βόδι	бык
7	bonheur, n. m.	happiness	felicidad	ευτυχία	счастье
4	(faire) bouillir, v. tr.	to boil	hervir	βράζω	кипятить
11	boxe, n. f.	boxing	boxeo	μποξ	бокс
12	brave (honnête, bon), adj.	good, kind	bueno(a)	καλός	честный(-ая), славный(-ая)
12	brave (courageux), adj.	brave	valiente	γενναίος (-α,-ο)	храбрый(-ая)
10	bricolage, n. m.	DIY	bricolaje	μαστόρεμα	поделка
10	bricoler, v. tr.	to tinker	hacer bricolaje	μαστορεύω	мастерить
8	bruit, n. m.	noise	ruido	θόρυβος	шум
5	brusquement, adv.	suddenly	bruscamente	ξαφνικά, απότομα	внезапно
4	brutal(e), adj.	violent	brusco(a)	απότομος (-η, -ο)	грубый(-ая), резкий(-ая)

C

	French	English	Spanish	Greek	Russian
11	cabane, n. f.	cabin	cabaña	καλύβα	хижина
2	cacao, n. m.	cocoa	cacao	κακάο	какао
7	cafard (déprime), n. m.	blues	depresión	μελαγχολία, μαύρες σκέψεις	хандра
8	cafetière, n. f.	coffee pot	cafetera	καφετιέρα	кофейник
3	calcul, n. m.	self-interest	cálculo	από σκοπιμότητα	расчёт
3	calme, n. m.	cool	calma	ψυχραιμία	покой, тишина
5	caméléon, n. m.	cameleon	camaleón	χαμαιλέοντας	хамелеон
2	camper, v. intr.	to camp	acampar	κάνω κάμπινγκ	стоять лагерем
2	camping, n. m.	camp ground	camping	κάμπινγκ	кемпинг
2	camping-car, n. m.	camping car	autocaravana	κάμπινγκ καρ	самоходный автодом, кэмпер
1	Canada, n. m.	Canada	Canadá	Καναδάς	Канада
1	canadien(ne), n. m. (f.) ou adj.	Canadian	canadiense	Καναδός (-ή)/ καναδικός (-ή. –ό)	канадец(-ка), канадский(-ая)
10	canal, n. m.	canal	canal	αγωγός, κανάλι	канал
4	canard, n. m.	duck	pato	πάπια	утка
4	cannelle, n. f.	cinnamon	canela	κανέλα	корица
11	canot à glace, n. m.	ice canoeing	lancha de nieve	κανό πάγου	каноэ на льду
1	capitale, n. f.	capital	capital	πρωτεύουσα	столица
2	caravane (roulotte), n. f.	camper	caravana	τροχόσπιτο	прицепный автодом, караван
4	carotte, n. f.	carrot	zanahoria	καρότο	морковь
5	carte de vaccination, n. f.	immunization record card	tarjeta de vacunación	κάρτα εμβολιασμού	карта профилактических прививок
5	carte nationale d'identité, n. f.	national identity card	documento nacional de identidad	ταυτότητα	удостоверение личности
12	caserne des pompiers, n. f.	fire station	cuartel de bomberos	στρατώνας πυροσβεστικού σώματος	казарма пожарников
11	à cause de, prép.	because of	a causa de	εξαιτίας	по причине
6	célébrité, n. f.	celebrity	celebridad	διασημότητα	знаменитость
8	céramique, n. f.	ceramic	cerámica	κεραμική	керамика
4	céréales, n. f. pl.	grains	cereales	δημητριακά	злаки, мюсли
6	cérémonie, n. f.	ceremony	ceremonia	τελετή	церемония
3	cerf, n. m.	stag	ciervo	ελάφι	олень
4	cerise, n. f.	cherry	cereza	κεράσι	черешня
8	certain(e), adj.	certain, sure	seguro(a)	βέβαιος (-η, -ο)	определённый(-ая), уверенный(-ая), некоторый(-ая), кое-кто
7	certitude, n. f.	certitude	certeza	βεβαιότητα	уверенность
4	cerveau, n. m.	brain	cerebro	μυαλό	мозг
1	c'est-à-dire, loc.	that's to say	es decir	δηλαδή, με άλλα λόγια	то есть
11	chacun(e), pron. indéf.	each	cada uno(a)	καθένας (καθεμιά, καθένα)	каждый(-ая)
9	chagrin, n. m.	sorrow	pena	βαθιά λύπη, στεναχώρια	печаль
2	chalet, n. m.	chalet	chalet	σαλέ	шале (швейцарский домик)
3	chamois, n. m.	antelope	gamuza	αίγαγρος	серна
4	champignon, n. m.	mushroom	champiñón	μανιτάρι	гриб
5	changement climatique, n. m.	climate change	cambio climático	κλιματική αλλαγή	климатические изменения
12	charade, n. f.	riddle	adivinanza	συλλαβόγριφος	шарада
5	charbon de bois, n. m.	charcoal	carbón de leña	ξυλοκάρβουνο	уголь
3	chat sauvage, n. m.	wildcat	gato salvaje	αγριόγατα	дикая кошка
3	chef d'orchestre, n. m.	conductor	director de orquesta	διευθυντής ορχήστρας	дирижёр
2	chèvre, n. f.	goat	cabra	κατσίκα	коза
3	chevreuil, n. m.	deer	corzo	ζαρκάδι	косуля
6	chimiste, n. m. ou f.	chemist	químico(a)	χημικός	химик
2	chocolatier, n. m.	chocolate maker	chocolatero	σοκολατοποιός	продавец/производитель шоколада
7	chorale, n. f.	choir	coro	χορωδία	хорал
3	chouette, n. f.	owl	lechuza	κουκουβάγια	сова
4	chou-fleur, n. m.	cauliflower	coliflor	κουνουπίδι	цветная капуста
11	circuler, v. intr.	to get about	circular	κυκλοφορώ	циркулировать
5	circuit, n. m.	circuit	circuito	γύρος, περιήγηση	круг, круговой маршрут
7	clarinette, n. f.	clarinet	clarinete	κλαρινέτο	кларнет
12	codifier, v. tr.	codify	codificar	κωδικοποιώ	кодифицировать
4	cœur, n. m.	heart	corazón	καρδιά	сердце
3	colère, n. f.	anger	enfado	οργή	гнев
1	colis, n. m.	parcel, package	paquete	δέμα	посылка
1	colonisation, n. f.	colonization	colonización	αποίκιση	колонизация
8	colonne, n. f.	column	columna	στήλη	колонна
10	coloré(e), adj.	colorful	colorido(a)	πολύχρωμος(-η, -ο)	окрашенный(-ая)
9	combattre, v. tr.	to fight	combatir	πολεμώ	сражаться, бороться
5	comparer, v. tr.	to compare	comparar	συγκρίνω	сравнивать
5	compenser, v. tr.	to offset	compensar	αντισταθμίζω	компенсировать
2	complet (-ète), adj.	full	completo (a)	πλήρης (-ης, -ες)	полный(-ая), заполненный(-ая)
8	compliqué(e), adj.	complicated	complicado(a)	μπλεγμένος (-η, -ο), περίπλοκος (-η, -ο)	сложный(-ая)
8	compliquer, v. tr.	to complicate	complicar	περιπλέκω	усложнять
5	comportement, n. m.	behaviour	comportamiento	συμπεριφορά	поведение
7	composer, v. tr.	to compose	componer	συνθέτω	составлять
12	se composer, v. pron.	to be made up of	componer(se)	αποτελούμαι	состоять из
3	compositeur, n. m.	composer	compositor	συνθέτης	композитор
3	compter, v. tr. et intr.	to count	contar	μετράω	считать, рассчитывать
5	comptoir (d'aéroport), n. m.	counter	mostrador	chek-in	стойка регистрации
7	à condition que, conj.	on condition that	a condición de que	με την προϋπόθεση ότι	при условии
2	confiseur, n. m.	confectioner	confitero	ζαχαροπλάστης	кондитер
7	confortable, adj.	comfortable	confortable	άνετος (-η, -ο)	уютный(-ая), удобный(-ая)
9	connaissance, n. f.	knowledge	conocimiento	γνώση	знание, знакомый(-ая)
2	consommation, n. f.	consumption	consumo	κατανάλωση	потребление
4	consommer, v. tr.	to consume	consumir	καταναλώνω	потреблять

10	construire, v. tr.	to build	construir	κατασκευάζω	строить
3	contredire, v. tr.	to contradict	contradecir	αμφισβητώ τα λεγόμενα κάποιου	противоречить
5	contrôle (des passeports), n. m.	control	control (de pasaportes)	έλεγχος	(паспортный) контроль
10	convaincre, v. tr.	to convince	convencer	πείθω	убеждать
8	conversation, n. f.	conversation	conversación	συζήτηση	беседа
4	copieux (-ieuse), adj.	generous	copioso (a)	πλουσιοπάροχος (-η, -ο), μεγάλη ποσότητα φαγητού	обильный(-ая)
7	corde (musique), n. f.	string	cuerda (música)	χορδή	струна
4	coriandre, n. f.	cilantro	cilantro	κόλιαντρο	кориандр
6	Corée, n. f.	Korea	Corea	Κορέα	Корея
2	correspondant, n. m.	pen pal	amigo por correspondencia	άτομο με το οποίο αλληλογραφώ	корреспондент
1	correspondre, v. tr. ind.	to correspond	cartear(se)	αλληλογραφώ	соответствовать, переписываться
10	se coucher, v. pron.	to go to bed	acostar(se)	πέφτω για ύπνο	ложиться спать
10	coudre, v. tr.	to sew	coser	ράβω	шить
8	cour, n. f.	courtyard	patio	αυλή	двор
10	courses, n. f. pl.	shopping	compras	ψώνια	покупки
8	cousin, n. m.	cousin	primo	ξάδελφος	кузен
8	cousine, n. f.	cousin	prima	ξαδέλφη	кузина
5	coutume, n. f.	custom	costumbre	έθιμο, συνήθεια	обычай
10	se couvrir, v. pron.	to be covered over	cubrir(se)	σκεπάζομαι	надевать на себя
11	cueillir, v. tr.	to pick	coger	μαζεύω (λουλούδια, φρούτα)	собирать, срывать
5	culture sur brûlis, n. f.	fire-stick farming	cultivo sobre cenizas	καλλιέργεια σε καμένο έδαφος	обработка земли на выгоревшем участке
10	couture, n. f.	sewing	costura	ραπτική	швейное ремесло
4	crabe, n. m.	crab	cangrejo	καβούρι	краб
10	créature, n. f.	creature	criatura	πλάσμα	создание, существо
1	créer, v. tr.	to create	crear	δημιουργώ	создавать
10	croyance, n. f.	belief	creencia	δοξασία	вера
4	(faire) cuire, v. tr.	to cook	cocinar	ψήνω	варить, печь
10	culte, n. m.	cult	culto	θρήσκευμα	культ
4	cumin, n. m.	cumin	comino	κύμινο	тмин
12	curieux (-ieuse) (étrange), adj.	curious, strange	curioso (a) (extraño)	παράξενος (-η, -ο)	странный(-ая)
12	curieux (ieuse) (indiscret), adj.	curious, nosy	curioso(a) (indiscreto)	περίεργος (-η. –ο)	любопытный(-ая)
9	curiosité, n. f.	curiosity	curiosidad	περιέργεια	любопытство
4	curry, n. m.	curry	curry	κάρι	карри
10	débarquer, v. intr.	to land	desembarcar	αποβιβάζομαι	сходить на берег, высаживаться
3	débat, n. m.	debate	debate	συζήτηση	обсуждение
7	debout, adv.	standing up	de pie	όρθιος (-α, -ο)	на ногах, стоя
12	décerner, v. tr.	to award	otorgar	απονέμω	присуждать (награду)
6	décider, v. tr.	to decide	decidir	αποφασίζω	решать
3	décision, n. f.	decision	decisión	απόφαση	решение
6	décorer, v. tr.	to decorate	decorar	διακοσμώ	украшать, декорировать
10	découper, v. tr.	to cut up	cortar	κόβω	разрезать
2	découragé(e), adj.	discouraged	desanimado(a)	αποθαρρημένος (-η, -ο)	обескураженный(-ая)
3	découragement, n. m.	discouragement	desánimo	αποθάρρυνση	уныние
7	décrire, v. tr.	to describe	describir	περιγράφω	описывать
3	déçu(e), adj.	disappointed	decepcionado(a)	απογοητευμένος (-η, -ο)	разочарованный(-ая)
12	définir, v. tr.	to define	definir	ορίζω	определять
8	demi-frère, n. m.	half-brother	hermanastro	ετεροθαλής αδελφός	сводный брат
8	demi-sœur, n. f.	half-sister	hermanastra	ετεροθαλής αδελφή	сводная сестра
10	démon, n. m.	demon	demonio	δαίμονας	демон
3	dépit, n. m.	pique	despecho	πείσμα	досада
12	déposer, v. tr.	to put down	depositar	αποθέτω, αφήνω κάτω	помещать
12	depuis, prép.	since	desde	εδώ και, από τότε	начиная с
8	dernier (-ère), adj.	last	último (a)	τελευταίος (-α, -ο)	последний(-яя)
8	descendance, n. f.	descendants	descendencia	απόγονοι	потомство
7	désespoir, n. m.	despair	desesperación	απελπισία	отчаяние
9	se désoler, v. pron.	to be upset	desolarse	απελπίζομαι	сокрушаться
12	désordre, n. m.	mess	desorden	ακαταστασία	беспорядок
4	dessert, n. m.	dessert	postre	επιδόρπιο, γλυκό	десерт
12	se développer, v. pron.	to develop	desarrollar(se)	αναπτύσσομαι	развиваться
12	devinette, n. f.	riddle	adivinaza	αίνιγμα, γρίφος	загадка
12	devise (pensée), n. f.	motto	lema	σύνθημα	девиз
2	diable, n. m.	devil	diablo	διάβολος	чёрт
5	différemment, adv.	differently	de otra manera	διαφορετικά	иначе
1	difficile, adj.	difficult	difícil	δύσκολος (-η, -ο)	трудный(-ая)
6	digne, adj.	worthy	digno(a)	αντάξιος	достойный(-ая)
6	diplomate, n. m. ou f.	diplomate	diplomático (a)	διπλωμάτης	дипломат
10	diplomatie, n. f.	diplomacy	diplomacia	διπλωματία	дипломатия
10	divinité, n. f.	divinity	divinidad	θεότητα	божество
2	doigt, n. m.	finger	dedo	δάχτυλο	палец
7	se donner rendez-vous, v. pron.	to arrange to meet	quedar	δίνω ραντεβού	назначить свидание
2	dormir à la belle étoile, loc. verb.	to sleep outdoors	dormir al raso	κοιμάμαι στην ύπαιθρο	спать под открытым небом
2	douane, n. f.	customs	aduana	τελωνείο	таможня
9	douceur, n. f.	softness	dulzura	απαλότητα, γλύκα	мягкость, нежность
2	douche, n. f.	shower	ducha	ντους	душ
9	douleur, n. f.	pain	dolor	οδύνη	боль
9	doué(e), adj.	gifted	dotado(a)	προικισμένος (-η, -ο)	одарённый(-ая)
9	doute, n. m.	doubt	duda	αμφιβολία	сомнения
9	douter, v. tr. ind.	to doubt	dudar	αμφιβάλλω	сомневаться
10	drapeau, n. m. (pl. –eaux)	flag	bandera	σημαία	знамя
9	droit(e) (vertical), adj.	straight	recto(a) (vertical)	ίσιος (-ια, -ιο)	прямой(-ая)
12	drôle (amusant), adj.	funny, amusing	divertido(a)	διασκεδαστικός (-ή, -ό)	забавный(-ая)
12	drôle (bizarre), adj.	funny, odd	raro(a)	παράξενος (-η, -ο)	странный(-ая)
5	durable, adj.	sustainable	duradero	αείφορος (-ος, -ο)	долговременный(-ая)
5	duty-free, n. m.	duty-free	duty-free	αφορολόγητα είδη, duty-free	магазин беспошлинной торговли, дьюти-фри
11	eau vive, n. f.	running water	agua viva	τρεχούμενο νερό	стремительное течение, поток
12	s'échapper, v. pron.	to escape	escapar(se)	ξεφεύγω	сбежать
8	éclairer, v. tr. et intr.	to light (up)	iluminar	φωτίζω	освещать
11	éclatant(e), adj.	bright	resplandeciente	λαμπερός (-ή, ό)	яркий(-ая)
2	éclater (nuages, orage), v. intr.	to burst	estallar	ξεσπάω	разразиться (о грозе)
12	éclater de rire, loc. verb.	to burst out laughing	reír a carcajadas	σκάω στα γέλια	расхохотаться
5	écologique, adj.	ecological	ecológico(a)	οικολογικός (-ή, -ό)	экологический(-ая)
6	économie, n. f.	economy	economía	οικονομία	экономика, экономия
3	écosystème, n. m.	ecosystem	ecosistema	οικοσύστημα	экосистема
6	écrivain, n. m.	writer	escritor	συγγραφέας	писатель
4	éduquer, v. tr.	to educate	educar	ακολουθώ μαθήματα	воспитывать
5	effet de serre, n. m.	greenhouse effect	efecto invernadero	φαινόμενο του θερμοκηπίου	парниковый эффект
2	s'effondrer, v. pron.	to collapse	derrumbar(se)	καταρρέω	рухнуть
7	effroyable, adj.	frightful	espantoso(a)	τρομερός (-ή, -ό)	ужасающий(-ая)
8	s'élever, v. pron.	to rise up	alzar(se)	ανυψώνομαι	возвышаться
8	éloigné(e), adj.	distant	alejado(a)	απομακρυσμένος (-η, -ο)	отдалённый(-ая)

	French	English	Spanish	Greek	Russian
10	s'embrasser, v. pron.	to kiss, embrace	besar(se)	φιλιέμαι	целоваться
6	émerveillement, n. m.	amazement	maravilla	υπέροχη αίσθηση χαράς	восхищение
7	émerveiller, v. tr.	to amaze	maravillar	με γεμίζει θαυμασμό	восхищать
6	émigrer, v. intr.	emigrate	emigrar	μεταναστεύω	эмигрировать
5	émission (de gaz), n. f.	emission	emisión (de gas)	εκπομπή (αερίου)	эмиссия (газов)
11	emmêler, v. tr.	to tangle (up)	entremezcla	μπερδεύω	спутывать
7	émotion, n. f.	emotion	emoción	συγκίνηση	эмоция
2	emporter, v. tr.	to bring	llevar	παίρνω μαζί μου	уносить
2	encourager, v. tr.	to encourage	animar	ενθαρρύνω	поощрять
9	énergie, n. f.	energy	energía	ενέργεια	энергия
9	enfermer, v. tr.	to lock in	encerrar	κλείνω, κλειδώνω, απομονώνω	запирать
12	énigme, n. f.	riddle	enigma	αίνιγμα	загадка
3	ennui, n. m.	boredom	aburrimiento	πλήξη	скука
3	s'ennuyer, v. pron.	to be bored	aburrirse	βαριέμαι	скучать
5	énormément, adv.	enormously	enormemente	υπερβολικά, πάρα πολύ	чрезвычайно
5	enregistrement (des bagages), n. m.	check-in	facturación (del equipaje)	τσεκάρισμα (αποσκευών)	регистрация (багажа)
1	enregistrer (inscrire), v. tr.	to register	apuntarse (inscribirse)	καταγράφω	регистрировать
12	s'enrichir, v. pron.	to be enriched	enriquecerse	πλουτίζω	богатеть
6	enseigner, v. tr.	to teach	enseñar	διδάσκω	преподавать
2	ensevelir, v. tr.	to bury	enterrar	σκεπάζω με χώμα	зарывать, погребать
8	entourer, v. tr.	to surround	rodear	περιβάλλω	окружать
10	s'entraider, v. pron.	to help each other	entreayudarse	αλληλοβοηθούμαι	помогать друг другу
11	entraîneur, n. m.	coach, trainer	entrenador	προπονητής	тренер
7	envahir, v. tr.	to pervade	invadir	εισβάλλω	вторгаться, захватывать
5	environnement, n. m.	environment	medioambiente	περιβάλλον	окружающая среда
4	épice, n. f.	spice	especia	μπαχαρικό, καρύκευμα	пряность
6	épouser, v. tr.	to marry	casar(se)	παντρεύομαι	жениться на, выходить замуж за
11	épreuve, n. f.	event, ordeal	prueba	δοκιμασία	испытание
9	éprouver (un sentiment), v. tr.	to feel	aflorar, sentir	αισθάνομαι	испытывать (чувства)
4	équilibré(e), adj.	balanced	equilibrado(a)	ισορροπημένος (-η, -ο)	уравновешенный(-ая)
11	s'équiper, v. pron.	to equip oneself	equipar(se)	εξοπλίζομαι	экипироваться
11	érable, n. m.	maple	arce	σφένδαμνος	клён
8	escalier, n. m.	stairs	escalera	σκάλα	лестница
6	esclavage, n. m.	slavery	esclavitud	δουλεία	рабство
10	esclave, n. m.	slave	esclavo	σκλάβος	раб
11	escrime, n. m.	fencing	esgrima	ξιφασκία	фехтование
8	espace, n. m.	space	espacio	χώρος	пространство
10	esprit, n. m.	spirit	espíritu	πνεύμα	рассудок, дух, сознание
1	essentiel(le), adj.	essential	esencial	βασικός (-ή, -ό)	основной(-ая)
9	étaler, v. tr.	to spread	extender	απλώνω	раскладывать
6	États-Unis, n. m. pl.	United States	Estados Unidos	Ηνωμένες Πολιτείες	Соединённые Штаты
10	s'étendre, v. pron.	to stretch	extender(se)	εξαπλώνομαι	прилечь, растянуться
2	étonner, v. tr.	to surprise	sorprender	εκπλήσσω	удивлять
6	s'étonner, v. pron.	to be surprised	sorprenderse	εκπλήσσομαι	удивляться
12	être au courant, loc. verb.	to be aware of	estar al corriente	το γνωρίζω, έχω ενημερωθεί	быть в курсе
2	étroit(e), adj.	narrow	estrecho(a)	στενός (-ή, -ο)	узкий(-ая)
9	études, n. f. pl.	studies	estudios	σπουδές	изучение, наука
3	étudier, v. tr.	to study	estudiar	σπουδάζω	изучать
12	Europe, n. f.	Europe	Europa	Ευρώπη	Европа
5	évaluer, v. tr.	to evaluate	evaluar	αξιολογώ	оценивать
5	évidemment, adv.	obviously	evidentemente	προφανώς	очевидно
11	examiner, v. tr.	to examine	examinar	εξετάζω	исследовать, экзаменировать
3	excellent(e), adj.	excellent	excelente	εξαιρετικός (-ή, ό)	отличный(-ая)
2	excursion, n. f.	excursion	excursión	εκδρομή	экскурсия
9	exister, v. intr.	to exist	existir	υπάρχω	существовать
3	explication, n. f.	explanation	explicación	εξήγηση	объяснение
5	exporter, v. tr.	to export	exportar	εξάγω	экспортировать
9	exposer, v. tr.	to exhibit	exponer	εκθέτω	выставлять, показывать
9	exposition, n. f.	exhibition	exposición	έκθεση	выставка
12	expression, n. f.	expression	expresión	έκφραση	выражение
7	exprimer, v. tr.	to express	expresar	εκφράζω	выражать

F

	French	English	Spanish	Greek	Russian
2	fabricant, n. m.	manufacturer	fabricante	παραγωγός	фабрикант
2	fabrique, n. f.	factory	fábrica	εργοστάσιο	фабрика
8	fabriquer, v. tr.	manufacture	fabricar	φτιάχνω	изготовлять
1	facile, adj.	easy	fácil	εύκολος (-η, -ο)	лёгкий(-ая), нетрудный(-ая)
2	faillir, v. intr.	to almost do	estar a punto de	παρά λίγο να (+ ρήμα)	недоставать
3	faire attention, loc. verb.	to be careful	prestar atención	προσέχω	обращать внимание
9	faire battre (le cœur), loc. verb.	to make beat	hacer latir (el corazón)	κάνω (την καρδιά) κάποιου να χτυπάει	заставлять (сердце) биться (в груди)
10	faire connaissance, loc. verb.	to meet	conocerse mejor	κάνω γνωριμίες	знакомиться
1	faire partager, loc. verb.	to share	compartir	μοιράζομαι (κάτι με κάποιον)	делиться (чем-то)
1	faire partie de, loc. verb.	to be part of	formar parte de	αποτελώ μέρος	состоять в, числиться в
7	faire ses preuves, loc. verb.	to prove oneself	demostrar su valía	αποδεικνύω ότι έχω τις δυνατότητες	доказать
1	fan, n. m.	fan	fan	διασκέδαση	поклонник, фан
6	fascination, n. f.	fascination	fascinación	γοητεία	очарование, ослепление
8	fasciner, v. tr.	to fascinate	fascinar	γοητεύω	обворожить
4	féculent, n. m.	starchy food	con fécula	αμυλούχο	содержащий крахмал
8	femme (épouse), n. f.	wife	mujer (esposa)	γυναίκα (σύζυγος)	жена
4	fer, n. m.	iron	hierro	σίδερο	железо
5	fièrement, adv.	proudly	orgullosamente	με υπερηφάνεια	гордо
9	fierté, n. f.	pride	orgullo	υπερηφάνεια	гордость
12	fixer, v. tr.	to set, establish	fijar	προσδιορίζω	закреплять, фиксировать
7	flûte, n. f.	flute	flauta	αυλός	флейта
5	fond, n. m.	bottom	fondo	βυθός, πάτος	дно, глубина
7	au fond de, loc.	deep inside	en mi interior	στον πάτο	в глубине
2	fondant(e) (chocolat), adj.	that melts in your mouth	fundente (chocolate)	που λειώνει στο στόμα (σοκολάτα)	тающий(-ая) во рту (шоколадный фондан - классический французский десерт)
8	fontaine, n. f.	fountain	fuente	κρήνη	фонтан
1	force, n. f.	strength	fuerza	δύναμη	сила
12	former, v. tr.	to form, to make up	formar	σχηματίζω, αποτελώ	формировать
12	fourmi, n. f.	ant	hormiga	μυρμήγκι	муравей
1	fournisseur d'accès (informatique), n. m.	service provider	proveedor de acceso	εταιρία παροχής πρόσβασης στο ίντερνετ (προβάιντερ)	поставщик услуг доступа (в интернет), провайдер доступа
8	frais (fraîche), adj.	cool	fresco(a)	δροσερος (-ή, -ό)	свежий(-ая)
4	fraise, n. f.	strawberry	fresa	φράουλα	клубника
1	francophone, adj.	French-speaking	de habla francesa	γαλλόφωνος (-η, -ο)	франкоговорящий(-ая)
4	frapper, v. tr.	to hit	pegar	χτυπώ	бить, ударять
7	frémissement, n. m.	thrill	estremecimiento	τρεμούλα	трепет, дрожь
7	froideur, n. f.	coldness	frialdad	ψυχρότητα	холодность, сдержанность
1	fumer, v. tr.	to smoke	fumar	καπνίζω	курить
7	fureur, n. f.	fury	furor	οργή, θυμός	ярость, неистовство

G

	French	English	Spanish	Greek	Russian
8	galerie, n. f.	gallery	galería	στοά	галерея
4	garder, v. tr.	to save	guardar	διατηρώ	хранить, охранять
8	gendre, n. m.	son-in-law	nuero	γαμπρός	зять

	French	English	Spanish	Greek	Russian
9	générosité, n. f.	generosity	generosidad	γενναιοδωρία	великодушие
10	génie, n. m.	genius	genio	μεγαλοφυΐα	гений, гениальность
2	genou (pl. genoux), n. m.	knee	rodilla	γόνατο	колено
5	gentiment, adv.	nicely	amablemente	ευγενικά	славно, по-хорошему
4	gingembre, n. m.	ginger	jengibre	ζιγγίβερη (τζίντζερ)	имбирь
4	(clou de) girofle, n. m.	clove	clavo	γαρύφαλλο (μπαχαρικό)	гвоздика (пряность)
11	glacé(e), adj.	icy	helado(a)	παγωμένος (-η, -ο)	ледяной(-ая), замороженный(-ая)
2	glacier (champ de glace), n. m.	glacier	glaciar	παγετώνας	ледник
11	glisser, v. intr.	to slip	deslizar	γλιστρώ	скользить, поскользнуться
4	goûter, v. tr.	to taste	probar	δοκιμάζω	пробовать
11	grâce à, prép.	thanks to	gracias a	χάρη σε	благодаря
4	graisse, n. f.	grease	grasa	λίπος	жир, сало
8	grand-oncle, n. m.	great uncle	tío abuelo	αδελφός του παππού ή της γιαγιάς	двоюродный дедушка
8	grand-tante, n. f.	great aunt	tía abuela	αδελφή του παππού ή της γιαγιάς	двоюродная бабушка
4	gras (grasse), adj.	fat	graso(a)	λιπαρός (-ή, -ó)	жирный(-ая)
1	gratuitement, adv.	for free	gratuitamente	δωρεάν	бесплатно
5	gravement, adv.	seriously	gravemente	σοβαρά	важно, опасно
11	grenier, n. m.	attic	granero	σοφίτα	чердак
11	grillage, n. m.	wire mesh	verja	κιγκλίδωμα	сетка
4	(faire) griller, v. tr.	to grill	asar	ψήνω	жарить
4	grossir, v. tr. et intr.	to get fat	engordar	παχαίνω	увеличиваться, толстеть
9	guerre, n. f.	war	guerra	πόλεμος	война
9	guerrier, n. m.	warrior	guerrero	πολεμιστής	воин
10	guider, v. tr.	to guide	guiar	καθοδηγώ	вести, руководить
7	guitare, n. f.	guitar	guitarra	κιθάρα	гитара
3	gymnaste, n. m. ou f.	gymnast	gimnasta	γυμναστής/γυμνάστρια	гимнаст(-ка)
11	gymnastique, n. f.	gymnastics	gimnasia	γυμναστική	гимнастика
1	habitant, n. m.	inhabitant	habitante	κάτοικος	житель
10	Haïti, n.	Haiti	Haití	Αϊτή	Гаити
10	haïtien(ne), n. m. (f.) ou adj.	Haitian	haitiano(a)	κάτοικος της Αϊτής / από την Αϊτή	гаитянин(-ка), гаитянский(-ая)
4	haricot blanc (rouge), n. m.	white (kidney) bean	alubia blanca(roja)	φασόλι άσπρο (κόκκινο)	белая (красная) фасоль
4	haricot vert, n. m.	green bean	judías verdes	πράσινο φασόλι	зелёные бобы
8	harmonie, n. f.	harmony	armonía	αρμονία	гармония
7	harpe, n. f.	harp	arpa	άρπα	арфа
6	hebdomadaire, n. m.	weekly	publicación semanal	εβδομαδιαίο περιοδικό	еженедельник
3	héberger, v. tr.	to house	acoger	φιλοξενώ	поселить у себя
1	hébergeur (informatique), n. m.	provider	alojamiento de páginas web	φιλοξενητής (πληροφορική)	хостинг-провайдер
4	herbes (de Provence), n. f. pl.	herbs	hierbas aromáticas (de Provenza)	μίγμα από αρωματικά βότανα που αποτελείται συνήθως από θυμάρι, δενδρολίβανο, ρίγανη, ματζουράνα ή αγριοθύμαρο, αλλά μπορεί να περιέχει και άλλα αρωματικά βότανα της Μεσογείου	специи
5	hésiter, v. intr.	to hesitate	dudar	διστάζω	колебаться
7	à l'heure, loc.	on time	a la hora en punto	(είμαι) στην ώρα μου	вовремя
10	hockey sur glace, n. m.	ice hockey	hockey sobre hielo	χόκεϊ στον πάγο	хоккей
2	hôtel, n. m.	hotel	hotel	ξενοδοχείο	отель
5	hôtesse (de l'air), n. f.	stewardess	azafata	αεροσυνοδός	стюардесса
5	huile essentielle, n. f.	essential oil	esencia aceite esencial	αιθέριο έλαιο	эфирное масло
6	humanité, n. f.	humanity	humanidad	ανθρωπότητα	человечество
10	de bonne humeur, loc.	in a good mood	de buen humor	κεφάτος	хорошее настроение (у кого-то)
10	de mauvaise humeur, loc.	in a bad mood	de mal humor	κακοδιάθετος	плохое настроение (у кого-то)
1	identifier, v. tr.	to identify	identificar	αναγνωρίζω	идентифицировать
6	île Maurice, n. f.	Mauritius	isla Mauricio	Νήσος Μαυρικίου	Маврикий (остов)
7	illustrer, v. tr.	to illustrate	ilustrar	απεικονίζω	иллюстрировать
6	imaginaire, n. m.	imagination	imaginario	φανταστικό στοιχείο	воображаемый мир
6	imagination, n. f.	imagination	imaginación	φαντασία	воображение
6	imaginer, v. tr.	to imagine	imaginar	φαντάζομαι	воображать
12	immortel(le), adj.	immortal	inmortal	αθάνατος (-η, -ο)	бессмертный(-ая)
5	impact, n. m.	impact	impacto	συνέπεια, επίδραση	удар, попадание
5	impatient(e), adj.	impatient	impaciente	ανυπόμονος(-η, -ο)	нетерпеливый(-ая)
3	importance, n. f.	importance	importancia	μεγάλος αριθμός	значимость
3	important(e), adj.	important	importante	σημαντικός (-ή, –ó)	значительный(-ая)
10	importer, v. tr.	to import	importar	εισάγω	импортировать
12	imposer, v. tr.	to impose	imponer	επιβάλλω	облагать, предписывать
1	impossible, adj.	impossible	imposible	αδύνατον	невозможный(-ая)
7	impression, n. f.	impression	impresión	εντύπωση	впечатление
7	improviser, v. tr.	to improvise	improvisar	αυτοσχεδιάζω	импровизировать
9	incompréhension, n. f.	incomprehension	incomprensión	ακατανοησία	непонимание
9	indien(ne), n. m. (f.) ou adj.	Indian	indio(a)	Ινδιάνος (-α)/ ινδιάνικος (-η, -ο)	индиец (индианка), индийский(-ая)
9	indifférence, n. f.	indifference	indiferencia	αδιαφορία	безразличие
2	indiquer, v. tr.	to indicate	indicar	υποδεικνύω	указывать
12	indiscret (-ète), adj.	indiscreet	indiscreto(a)	αδιάκριτος (-η, -ο)	бестактный(-ая)
6	indiscrétion, n. f.	indiscretion	indiscreción	αδιακρισία	бестактность
6	indispensable, adj.	indispensable	indispensable	απαραίτητος (-η, -ο)	необходимый(-ая)
5	inférieur(e), adj.	inferior	inferior	κατώτερος (-η, -ο)	нижний(-ая), худший(-ая)
7	inspiration, n. f.	inspiration	inspiración	έμπνευση	вдохновение
2	s'inspirer de, v. pron.	to draw inspiration from	inspirarse de	εμπνέομαι από	вдохновляться
7	s'installer, v. pron.	to settle	instalarse	εγκαθίσταμαι	обосновываться
12	institution, n. f.	institution	institución	όργανο (διεθνούς οργανισμού)	учреждение
7	instrument, n. m.	instrument	instrumento	όργανο	инструмент
1	internaute, n. m. ou f.	internet user	internauta	κυβερνοναύτης	интернет-юзер, интернет-пользователь
1	inutile, adj.	not necessary	inútil	άχρηστος (-η, -ο)	бесполезный(-ая)
2	inventer, v. tr.	to invent	inventar	εφευρίσκω, επινοώ	изобретать
6	inventeur, n. m.	inventor	inventor	εφευρέτης	изобретатель
6	Italie, n. f.	Italy	Italia	Ιταλία	Италия
1	italien(ne), n. m. (f.) ou adj.	Italian	italiano(a)	Ιταλός (-ίδα)/ ιταλικός (-ή. –ó)	итальянец(-ка), итальянский(-ая)
9	jalousie, n. f.	jealousy	envidia	ζήλεια	зависть, ревность
10	jardinage, n. m.	gardening	jardinería	κηπουρική	садоводство
4	jeter, v. tr.	to throw	tirar	ρίχνω	выбросить, бросить
4	jeune femme, n. f.	young woman	joven	νεαρή γυναίκα	девушка
8	jeune homme, n. m.	young man	joven	νεαρός άνδρας	юноша
8	Jeux olympiques, n. m. pl.	Olympics	Juegos Olímpicos	Ολυμπιακοί Αγώνες	Олимпийские игры
7	jouer (d'un instrument), v. intr.	to play	tocar (un instrumento)	παίζω (μουσικό όργανο)	играть (на инструменте)
6	juriste, n. m. ou f.	lawyer	jurista	νομικός	юрист
12	juste (exactement), adv.	right	justo (exactamente)	ακριβώς	правильно
12	lâcher, v. tr.	to let go	soltar	ελευθερώνω	отпустить, выпустить
2	lait en poudre, n. m.	powdered milk	leche en polvo	γάλα σε σκόνη	молочный порошок
4	lancer, v. tr.	to throw	lanzar	εκτείνω	швырять, метать
1	langue maternelle, n. f.	native language	lengua materna	μητρική γλώσσα	родной язык
1	langue nationale, n. f.	national language	idioma nacional	εθνική γλώσσα	национальный язык
1	langue officielle, n. f.	official language	idioma oficial	επίσημη γλώσσα	официальный язык

	French	English	Spanish	Greek	Russian
11	laisser tomber, *loc. verb.*	to drop	dejar caer	αφήνω να πέσει	бросить (кого-то), отделаться
10	lecture, *n. f.*	reading	lectura	ανάγνωση	чтение
5	lémurien, *n. m.*	lemur	lémur	λεμούριος	подотряд лемуров
9	lequel (laquelle) ?, *pron. interr.*	which (one)	¿cuál?	ποιος (-α, -ο);	который(-ая) ?
9	levé(e), *adj.*	raised	levantado(a)	σηκωμένος (-η, -ο)	поднятый(-ая)
7	Liban, *n. m.*	Lebanon	Líbano	Λίβανος	Ливан
7	libanais(e), *n. m. (f.) ou adj.*	Lebanese	libanés(-esa)	Λιβανέζος (-α)/ λιβανέζικος(-η, -ο)	ливанец(-ка), ливанский(-ая)
1	lien (informatique), *n. m.*	link	enlace	σύνδεσμος (πληροφορική)	линк, гиперссылка
4	limiter, *v. tr.*	to limit	limitar	περιορίζω	ограничивать
6	littérature, *n. f.*	literature	literatura	λογοτεχνία	литература
10	loisir, *n. m.*	leisure activity	ocio	δραστηριότητα ελεύθερου χρόνου, χόμπι	досуг
10	lot (de tombola), *n. m.*	prize	lote (de tómbola)	λαχνός	выигрыш (в лотерее)
3	loup, *n. m.*	wolf	lobo	λύκος	волк
1	lumineux (-euse), *adj.*	bright	luminoso(a)	φαεινός (-ή, -ό)	светящийся(-ая), светлый(-ая)
3	lynx, *n. m.*	lynx	lince	λύγκας	рысь

M

	French	English	Spanish	Greek	Russian
5	Madagascar, *n.*	Madagascar	Madagascar n	Μαδαγασκάρη	Мадагаскар
6	magazine, *n. m.*	magazine	revista	περιοδικό	журнал
10	main d'œuvre, *n. f.*	workforce	mano de obra	εργατικά χέρια	рабочая сила
12	mairie, *n. f.*	town hall	ayuntamiento	δημαρχείο	мэрия
4	maïs, *n. m.*	corn	maíz	καλαμπόκι	кукуруза
5	malgache, *n. m. (f.) ou adj.*	Malagasy	malgache	Μαλγάσιος (-ια)/ μαλγασικός (-ή, -ό) (από τη Μαδαγασκάρη)	мальгаш(-ка)
8	malgré, *prép.*	despite, in spite of	a pesar de	παρά	несмотря
4	mangue, *n. m.*	mango	mango	μάνγκο	манго
11	manifestation sportive, *n. f.*	sporting event	evento deportivo	αθλητική εκδήλωση	спортивное событие
4	manioc, *n. m.*	manioc	mandioca	μανιότη ή μανιόκ	маниока
10	maquette, *n. f.*	model, mock-up	maqueta	μακέτα	макет
7	maracas, *n. m. pl.*	maracas	maracas	μαράκας	маракас, мара́ка
8	marbre, *n. m.*	marble	mármol	μάρμαρο	мрамор
8	mari, *n. m.*	husband	marido	σύζυγος	муж
8	marié(e), *n. m. (f.)*	groom / bride	novio(a)	γαμπρός/νύφη	молодой(-ая) (о новобрачных)
6	marin, *n. m.*	sailor	marinero	ναυτικός	моряк, матрос
10	massivement, *adv.*	massively	en gran cantidad	μαζικά	в массовом масштабе
10	match, *n. m.*	match	partido	αγώνας	матч
9	matériau (pl. –aux), *n. m.*	material	material (-ales)	υλικό	материал (строительный)
4	mayonnaise, *n. f.*	mayonnaise	mayonesa	μαγιονέζα	майонез
6	médaille, *n. f.*	medal	medalla	μετάλλιο	медаль
9	mélancolie, *n. f.*	melancholy	melancolía	μελαγχολία	меланхолия
8	membre (d'une famille), *n. m.*	member	miembro	μέλος (οικογένειας)	член (семьи)
6	mémoire, *n. f.*	memory	memoria	μνήμη	память
10	ménage, *n. m.*	housework	limpiar la casa, limpieza	νοικοκυριό	домашнее хозяйство
6	Mexique, *n. m.*	Mexico	México	Μεξικό	Мексика
2	miel, *n. m.*	honey	miel	μέλι	мёд
11	mince, *adj.*	thin	delgado	λεπτός	тонкий(-ая), худощавый(-ая)
4	minéraux, *n. m. pl.*	minerals	minerales	μεταλλικά στοιχεία	минералы
2	mobile-home, *n. m.*	mobile home	mobile-home	τροχόβιλα	самоходный автодом, мобильхом
3	de moins en moins, *loc. adv.*	less and less, fewer and fewer	cada vez menos	όλο και λιγότερο	все меньше и меньше
3	montagneux (-euse), *adj.*	mountainous	montañoso (a)	ορεινός (-ή, -ό)	гористый(-ая)
3	se montrer, *v. pron.*	to show oneself	dejar(se) ver	εμφανίζομαι	показаться
7	morceau (de musique), *n. m.*	piece	fragmento	(μουσικό) κομμάτι	отрывок (музыкальный)
12	mordre, *v. tr.*	to bite	morder	δαγκώνω	кусать
8	mosaïque, *n. m.*	mosaic	mosaico	μωσαϊκό	мозаика
11	motoneige, *n. f.*	snowmobile	moto de nieve	σκούτερ χιονιού	снегоход
12	mots cachés, *n. m. pl.*	word search	sopa de palabras	κρυμμένες λέξεις	филворд
12	mots croisés, *n. m. pl.*	crossword	crucigramas	σταυρόλεξο	кроссворд
4	mouton, *n. m.*	mutton	oveja	πρόβατο	баран
12	Moyen-Orient, *n. m.*	Middle East	Oriente Medio	Μέση Ανατολή	Средний Восток
4	(noix de) muscade, *n. f.*	nutmeg	(nuez) moscada	μοσχοκάρυδο	мускатный орех
4	muscle, *n. m.*	muscle	músculo	μυς	мускул, мышца
1	mystère, *n. m.*	mystery	misterio	μυστήριο	тайна
10	mythique, *adj.*	mythical	mítico(a)	μυθικός (-ή, –ό)	мифический(-ая)

N

	French	English	Spanish	Greek	Russian
10	naïf (naïve), *adj.*	naive	inocente	ναΐφ	наивный(-ая)
1	nécessaire, *adj.*	necessary	necesario(a)	αναγκαίος (-α, -ο)	необходимый(-ая)
11	nécessiter, *v. tr.*	to require	necesitar	χρειάζομαι	вынуждать, иметь потребность (в чём-то)
1	néerlandais(e), *n. m. (f.) ou adj.*	Dutch	holandés(-esa)	Ολλανδός (-ή) / ολλανδικός (ή, –ό)	голландец(-ка), нидерландский(-ая)
8	neveu, *n. m.*	nephew	sobrino	ανηψιός	племянник
8	nièce, *n. f.*	niece	sobrina	ανηψιά	племянница
6	Nigéria, *n. m.*	Nigeria	Nigeria	Νιγηρία	Нигерия
8	niveau (pl. –eaux), *n. m.*	level	nivel (–eles)	επίπεδο	уровень
6	nommé(e), *adj.*	appointed	nombrado(a)	διορισμένος (-η, -ο)	называемый(-ая), именуемый(-ая)
5	normal(e), *adj.*	normal	normal	φυσιολογικός (-ή, -ό)	нормальный(-ая)
7	nostalgique, *adj.*	nostalgic	nostálgico(a)	νοσταλγικός (-ή, ό)	тоскующий(-ая), ностальгический(-ая)
4	nouille, *n. f.*	noodle	tallarín	μακαρόνι	лапша

O

	French	English	Spanish	Greek	Russian
4	obèse, *adj.*	obese	obeso(a)	παχύσαρκος (-η, -ο)	страдающий(-ая) ожерением
3	obligé(e), *adj.*	obliged	obligado(a)	υποχρεωμένος (-η, -ο)	обязанный(-ая)
2	obtenir, *v. tr.*	to obtain	obtener	παραλαμβάνω	получать, достигать
10	occuper, *v. tr.*	to take up	ocupar	ασχολούμαι	занимать
9	œuvre, *n. f.*	work	obra	έργο	произведение, дело
4	oignon, *n. m.*	onion	cebolla	κρεμμύδι	лук
3	oiseau (pl. oiseaux), *n. m.*	bird	pájaro	πουλί	птица
1	onglet (informatique), *n. m.*	tab	pestaña	καρτέλα (πληροφορική)	фальц
1	or, *n. m.*	gold	oro	χρυσός	золото
7	orchestre, *n. m.*	orchestra	orquesta	ορχήστρα	оркестр
12	organisation, *n. f.*	organisation	organización	οργανισμός	организация
6	originaire, *adj.*	native	originario(a)	που κατάγεται	первоначальный(-ая), родом из
6	origine, *n. f.*	origin	procedencia	καταγωγή	начало, происхождение
12	orthographe, *n. f.*	spelling	ortografía	ορθογραφία	орфография
4	oser, *v. tr.*	to dare	atrever	τολμώ	сметь
3	ours brun, *n. m.*	brown bear	oso pardo	καφετιά αρκούδα	бурый медведь

P

	French	English	Spanish	Greek	Russian
1	page (informatique), *n. f.*	page	página	σελίδα (πληροφορική)	страница (интернета)
12	palais, *n. m.*	palace	palacio	παλάτι	дворец
6	palmarès, *n. m.*	prize list	palmarés	συνολικό (καλλιτεχνικό, συγγραφικό, κινηματογραφικό κλπ.) έργο κάποιου	список наград
4	pamplemousse, *n. m.*	grapefruit	pomelo	γκρέιπφρουτ	грейпфрут
6	Panama, *n. m.*	Panama	Panamá	Παναμάς	Панама
4	papaye, *n. f.*	papaya	papaya	παπάγια	плод папайи
3	paradis, *n. m.*	paradise	paraíso	παράδεισος	рай
11	parce que, *conj.*	because	porque	γιατί, διότι	потому что
4	pardonner, *v. tr.*	to forgive	perdonar	συγχωρώ	прощать
3	paresse, *n. f.*	laziness	pereza	τεμπελιά	лень
2	par terre, *loc.*	on the ground	por el suelo	κάτω, χάμω	на земле

	French	English	Spanish	Greek	Russian
5	participer, v. tr. ind.	to participate	participar	συμμετέχω	участвовать
11	pas, n. m.	step	paso	βήμα	шаг
5	passeport, n. m.	passport	pasaporte	διαβατήριο	паспорт
6	passionné(e), adj.	impassioned	apasionado(a)	πολύ απορροφημένος (-η, -ο/ παθιασμένος (-η, -ο)	пылкий(-ая), увлечённый(-ая)
2	pâte (de cacao), n. f.	paste	pasta (de cacao)	κακαόμαζα	масса, паста (какао)
4	pâtes, n. f. pl.	pasta	pasta	ζυμαρικά	макароны
3	patient(e), adj.	patient	paciente	υπομονετικός (-ή, -ό)	терпеливый(-ая)
11	patinoire, n. f.	skating rink	pista de patinaje	παγοδρόμιο	каток
8	patio, n. m.	patio	patio	πάτιο	патио
10	paysan, n. m.	peasant	agricultor	αγρότης	крестьянин
10	pêche (à la ligne), n. f.	fishing	pesca con caña	ψάρεμα	рыбалка
11	pêcher, v. tr.	to fish	pescar	ψαρεύω	удить рыбу
9	penché(e), adj.	leaning	inclinado(a)	κεκλιμένος (-η, -ο)	наклонный(-ая)
12	pendant, prép.	during	durante	κατά τη διάρκεια	во время
10	perle, n. f.	pearl	perla	μαργαριτάρι, χάντρα, πέρλα	жемчужина
11	personne, pron. indéf.	no one, nobody	persona	κανένας	никто
8	petit-fils, n. m.	grandson	nieto	εγγονός	внук
8	petite-fille, n. f.	granddaughter	nieta	εγγονή	внучка
8	petits-enfants, n. m. pl.	grandchildren	nietos	εγγόνια	внуки
10	place, n. f.	place	place	πλατεία	место, площадь
7	placer, v. tr.	to position	placer	τοποθετώ	помещать
2	à plat ventre, loc.	on your stomach	boca abajo	μπρούμυτα	на животе
1	peindre, v. tr.	to paint	pintar	ζωγραφίζω	красить, писать (картину)
1	peintre, n. m.	painter	pintor	ζωγράφος	художник
7	percussion (musique), n. f.	percussions	percusión	κρουστό	ударные инструменты
6	périodique, n. m.	periodical	periódico	περιοδικό	периодическое издание
10	persécution, n. f.	persecution	persecución	διωγμός	преследование, гонение
6	physicien(ne), n. m. (f.)	doctor	físico(a)	φυσικός (επάγγελμα)	физик
3	pianiste, n. m. ou f.	pianist	pianista	πιανίστας/πιανίστρια	пианист(-ка)
1	piano, n. m.	piano	piano	πιάνο	пианино
5	piège, n. m.	trap	trampa	παγίδα	западня, ловушка
5	pile (de lampe de poche), n. f.	battery	pila (de linterna)	μπαταρία (φακού)	батарейка
5	piment, n. m.	hot pepper	pimiento	καφτερό πιπέρι	стручковый перец
1	pipe, n. f.	pipe	pipa	πίπα	трубка (курительная)
4	piquant(e), adj.	spicy	picante	καφτερός (-ή, -ό)	колючий(-ая), пикантный(-ая)
1	pique-nique, n. m.	picnic	picnic	πικνίκ	пикник
11	piste, n. f.	slope, trail	pista	πίστα	трасса, путь, лыжня
3	plafond, n. m.	ceiling	plafond	οροφή	потолок
9	plaisir, n. m.	pleasure	placer	ευχαρίστηση, απόλαυση	удовольствие
2	planche, n. f.	board	tabla	σανίδα	доска
11	plancher, n. m.	floor	suelo	πάτωμα	пол
11	planifier, v. tr.	to plan	planificar	προγραμματίζω	планировать
5	plante médicinale, n. f.	medicinal plant	planta medicinal	θεραπευτικά βότανα	лекарственное растение
5	planter, v. tr.	to plant	plantar	φυτεύω	сажать (цветы), ставить (палатку)
4	plat, n. m.	dish	plato	πιάτο, φαγητό	блюдо
3	de plus en plus, loc. adv.	more and more	cada vez más	όλο και πιο πολύ	всё больше и больше
8	plateau (de cuivre) (pl. –eaux), n. m.	platter	bandeja (de cobre)	δίσκος (χάλκινος)	поднос
9	pleurer, v. intr. et tr.	to cry	llorar	κλαίω	плакать
11	plusieurs, adj. et pron. indéf.	several	varios(as)	κάμποσοι, μερικοί, πολλοί	несколько
3	plutôt que, loc. adv.	rather than	en lugar de	αντί να	скорее чем
1	poésie, n. f.	poetry	poesía	ποίημα	поэзия
4	poireau, n. m.	leek	puerro	πράσο	лук-порей
4	(petit) pois, n. m.	pea	guisante	αρακάς	зелёный горошек
4	poivre, n. m.	pepper	pimienta	πιπέρι	перец
6	politique, n. f.	politics	política	πολιτική	политика
5	polluer, v. tr.	to pollute	contaminar	ρυπαίνω	загрязнять
6	polonais(e), adj.	Polish	polaco(a) polonés(-esa)	πολωνικός (-ή, -ό)	польский(-ая)
4	pomme de terre, n. f.	potato	patata	πατάτα	картошка
3	population, n. f.	population	población	πληθυσμός	население
4	porc, n. m.	pork	cerdo	χοίρος	свинья
5	porte d'embarquement, n. f.	boarding gate	puerta de embarque	πύλη επιβίβασης	выход (на посадку)
1	possible, adj.	possible	posible	πιθανός (-ή, -ό)	возможный(-ая)
4	poulet, n. m.	chicken	pollo	κοτόπουλο	цыплёнок
7	pour que, conj.	so that	para que	για να	для того, чтоб
7	pourvu que, conj.	provided that	ojala que	φθάνει να	только бы
10	pousser (plantes), v. intr.	to grow	crecer (plantas)	φυτρώνω	расти (о растениях)
5	poussière, n. f.	dust	polvo	σκόνη	пыль
11	pratiquer (un sport), v. tr.	to play	practicar	κάνω ένα σπορ	заниматься (спортом)
12	précieusement, adv.	preciously	preciosamente	με μεγάλη επιμέλεια	бережно, вычурно
5	précisément, adv.	precisely	precisamente	ακριβώς	именно
6	premier (-ère), adj.	first	primero(a)	πρώτος (-η, -ο)	первый(-ая)
9	présentation, n. f.	presentation	presentación	παρουσίαση	представление
6	présider, v. tr.	to preside over	presidir	προεδρεύω	председательствовать
11	pressé(e), adj.	in a hurry	tener prisa	βιαστικός (-ή, -ό)	прессованный(-ая), спешащий(-ая)
5	prévu(e), adj.	planned	previsto(a)	προβλεπόμενος (-η, -ο)	предусмотренный(-ая)
6	privé(e) (intime), adj.	private	privado(a)	ιδιωτικός (-ή, -ό)	личный(-ая)
8	proche, adj.	close	cercano(a)	κοντινός	близкий(-ая)
12	Proche-Orient, n. m.	Near East	Oriente Próximo	Εγγύς Ανατολή	Ближний Восток
5	production, n. f.	production	producción	παραγωγή	производство
5	produire, v. tr.	to produce	producir	παράγω	производить
4	produit laitier, n. m.	dairy product	producto lácteo	γαλακτοκομικό προϊόν	молочный продукт
4	profiter, v. tr. ind.	benefit	aprovechar	επωφελούμαι	получать пользу, пользоваться
12	prononciation, n. f.	pronunciation	pronunciación	προφορά	произношение
4	protéine, n. f.	protein	proteína	πρωτεΐνη	протеин
8	protestation, n. f.	protest	protesta	διαμαρτυρία	возражение, протест
1	publier, v. tr.	to publish	publicar	δημοσιεύω	опубликовать
11	puisque, conj.	since, as	puesto que	αφού	так как
3	punition, n. f.	punishment	castigo	τιμωρία	наказание
2	pyramidal(e), adj.	pyramidal	piramidal	πυραμιδοειδής(-ής, -ές)	пирамидальный(-ая)

Q

	French	English	Spanish	Greek	Russian
1	Québec, n. m.	Quebec	Québec	Κεμπέκ	Квебек
1	québécois(e), n. m. (f.) ou adj.	Quebecois, Quebecker	quebequés(-quesa)	κάτοικος του Κεμπέκ	житель(-ца) Квебека
11	quelque chose, pron. indéf.	something	algo	κάτι	нечто
11	quelqu'un, pron. indéf.	someone	alguien	κάποιος (-α, -ο)	кто-то
11	quelques-un(e)s, pron. indéf. pl.	some, a few	algunos(as)	ορισμένα (-ες, –α)	некоторые
6	quitter, v. tr.	to leave	ir(se)	εγκαταλείπω	покидать
6	quotidien, n. m.	daily	diario	ημερήσια εφημερίδα	ежедневная газета

R

	French	English	Spanish	Greek	Russian
5	radeau, n. m.	raft	balsa	σχεδία	плот
11	rafting, n. m.	rafting	rafting	ράφτινγκ	рафтинг
9	raide, adj.	straight	tieso(a)	άκαμπτος (-η, -ο)	несгибающийся(-яся)
3	raisonner, v. intr.	to reason	razonar	βάζω το μυαλό μου να δουλέψει	рассуждать, делать заключение
2	randonnée, n. f.	hike	senderismo	πεζοπορία	поход

5	rapidement, adv.	quickly	rápidamente	γρήγορα	быстро
7	rapidité, n. f.	speed	rapidez	ταχύτητα	быстрота
8	se rappeler, v. pron.	to remember	acordar(se)	θυμάμαι	вспоминать
8	rapport (de parenté), n. m.	relationship	vínculo (familiar)	σχέση (συγγένειας)	отношение
11	raquette à neige, n. f.	snowshoe	raqueta de nieve	ρακέτα χιονιού	снегоступ
3	rarement, adv.	rarely	rara vez	σπάνια	редко
1	réaliste, adj.	realistic	realista	ρεαλιστικός (-ή, -ό)	реалистический(-ая)
1	réalité, n. f.	reality	realidad	πραγματικότητα	реальность
12	rébus, n. m.	rebus	jeroglífico	γρίφος	ребус
9	réchauffer, v. tr.	to warm (up)	calentar	ζεσταίνω	разогреть
6	récompense, n. f.	award	recompensa	επιβράβευση, βραβείο	вознаграждение
6	récompenser, v. tr.	to award	recompensar	βραβεύω, ανταμοίβω	награждать
10	se réconcilier, v. pron.	to reconcile	reconciliarse	αποκαθιστώ τη σχέση μου με κάποιον με τον οποίο είχα μαλώσει,	примиряться
8	recouvrir, v. tr.	to cover	recubrir	καλύπτω	перекрывать, покрывать
11	recueillir, v. tr.	to collect	recoger	συλλέγω, μαζεύω	собирать, пожинать
11	se reculer, v. pron.	to back up	retroceder	κάνω πίσω	отдаляться
10	réécrire, v. tr.	to rewrite	reescribir	ξαναγράφω	переписывать
6	refuser, v. tr.	to refuse	denegar	αρνούμαι	отказать
9	regard, n. m.	eyes, gaze	mirada	βλέμμα	взгляд
12	régional(e), adj.	regional	regional	τοπικός (-ή, -ό)	региональный(-ая)
8	se regrouper, v. pron.	to gather	agruparse	συγκεντρώνομαι	перегруппироваться
6	rejoindre, v. tr.	to meet up with	reunirse con	βρίσκω, συναντώ	присоединиться к
10	religion, n. f.	religion	religión	θρησκεία	религия
6	remettre, v. tr.	to give	entregar	ξαναβάζω	ставить на прежнее место, вручать
2	remuer (bouger), v. tr.	to move	remover (mover)	κουνάω	шевелить
4	remuer (mélanger, tourner), v. tr.	to stir	remover (mezclar)	ανακατεύω	перемешивать
8	rencontre, n. f.	encounter	encuentro	συνάντηση	встреча
2	rendre visite à, loc. verb.	to visit	visitar a	επισκέπτομαι	нанести визит
5	renverser (faire chavirer), v. tr.	to tip over	volcar	ανατρέπω, αναποδογυρίζω	опрокидывать
11	repasser (faire du repassage), v. tr.	to iron	planchar	σιδερώνω	гладить (бельё)
12	repérer, v. tr.	to locate	detectar	εντοπίζω	определять
11	reportage, n. m.	report	reportaje	ρεπορτάζ	репортаж
5	se reposer, v. pron.	to rest	descansar	ξεκουράζομαι	отдыхать
1	représenter, v. tr.	to represent	representar	αντιπροσωπεύω	изображать, представлять
1	réseau (informatique), n. m.	network	red	δίκτυο (πληροφορική)	сеть (компьютерная)
2	réservation, n. f.	reservation	reserva	κράτηση	резервация
11	respecter, v. tr.	to respect	respetar	σέβομαι	уважать
2	respirer, v. intr. et tr.	to breathe	respirar	αναπνέω	дышать
6	responsabilité, n. f.	responsibility	responsabilidad	ευθύνη	ответственность
5	responsable, adj.	responsible	responsable	υπεύθυνος	ответственный(-ая)
6	ressentir, v. tr.	to feel	sentir	αισθάνομαι	ощущать
12	se retrouver, v. pron.	to find oneself	encontrar(se)	βρίσκομαι	отыскиваться
10	réveil (pendule), n. m.	alarm clock	despertador	ξυπνητήρι	будильник
6	révélation, n. f.	revelation	revelación	αποκάλυψη	разоблачение, откровение
3	réviser, v. tr.	to revise	revisar	διαβάζω για διαγώνισμα	пересматривать, проверять
4	riche, adj.	rich	rico(a)	πλούσιος (-α, -ο)	богатый(-ая)
5	richesse, n. f.	wealth	riqueza	πλούτος	богатство
8	rire, n. m.	laughter	risa	γέλιο	смех
4	riz, n. m.	rice	arroz	ρύζι	рис
10	rocher, n. m.	rock	roca	βράχος	скала, утёс
3	roumain(e), n. m. (f.) ou adj.	Romanian	rumano(a)	Ρουμάνος (-α)/ ρουμανικός (-ή, -ό)	румын(-ка), румынский(-ая)
3	Roumanie, n. f.	Romania	Rumania	Ρουμανία	Румыния

2	sac de couchage, n. m.	sleeping bag	saco de dormir	υπνόσακος (σλίπινγκ-μπαγκ)	спальный мешок
4	safran, n. m.	saffron	azafrán	κρόκος (σαφράν)	шафран
4	salé(e), adj.	savory	salado(a)	αλατισμένος (-η, -ο)	солёный(-ая)
5	salir, v. tr.	to make dirty	salir	λερώνω	пачкать
3	sanglier, n. m.	wild boar	jabalí	αγριογούρουνο	дикий кабан
2	sanitaires, n. m. pl.	bathroom facilities	servicios	τουαλέτες	санитарный узел
7	sans que, conj.	without	sin que	χωρίς να	без того, чтобы
4	sauce, n. f.	sauce	salsa	σάλτσα	соус
4	(faire) sauter (un aliment), v. tr.	to sauté	saltear (un alimento)	σωτάρω	жарить на сильном огне
3	sauvage, adj.	wild	salvaje	άγριος (-α, -ο)	дикий(-ая)
12	savant, n. m.	scholar, erudite	sabio	λόγιος, σοφός	учёный
7	saxophone, n. m.	saxophone	saxofón	σαξόφωνο	саксофон
9	sculpter, v. tr.	to sculpt	esculpir	σμιλεύω	ваять
9	sculpteur, n. m.	sculptor	escultor	γλύπτης	скульптор
9	sculptrice, n. f.	sculptor	escultora	γλύπτρια	скульптор (ж.р.)
3	sculpture, n. f.	sculpture	escultura	άγαλμα	скульптура
3	sécher (les cours), v. tr.	to skip	fumar(se) una clase, hacer chicarra	κάνω κοπάνα (από μάθημα)	прогуливать (уроки)
11	sélectionneur, n. m.	selector	seleccionador	προπονητής της εθνικής ομάδας	селекционер
4	semoule, n. f.	semolina	sémola	σιμιγδάλι	манная крупа
1	Sénégal, n. m.	Senegal	Senegal	Σενεγάλη	Сенегал
1	sénégalais(e), n. m. (f.) ou adj.	Senegalese	senegalés(-esa)	Σενεγαλέζος (-α)/ σενεγαλέζικος (-η, -ο)	сенегалец(-ка), сенегальский(-ая)
12	sens (signification), n. m.	meaning	sentido (significado)	νόημα	смысл
11	sentier, n. m.	path	sendero	μονοπάτι	тропа
5	séparer, v. tr.	to separate	separar	χωρίζω	разделять
11	serpent, n. m.	snake	serpiente	φίδι	змея
4	servir (un plat), v. tr.	to serve	servir (un plato)	σερβίρω (φαγητό)	подавать (обед)
1	se servir de, v. pron.	to use	utilizar	χρησιμοποιώ	класть себе, угощаться
1	seulement, adv.	only	solamente	μόνο	только
11	sève, n. f.	sap	sabia	χυμός (δένδρου)	растительный сок
3	sévère, adj.	strict	severo(a)	αυστηρός (-ή, -ό)	суровый(-ая)
9	sévérité, n. f.	harshness	severidad	αυστηρότητα	строгость
11	siffler, v. intr.	to whistle	silbar	σφυρίζω	свистеть
8	silence, n. m.	silence	silencio	σιωπή	тишина
3	simple, adj.	easy	sencillo(a)	απλός (-ή, -ό)	простой(-ая)
1	sincérité, n. f.	sincerity	sinceridad	ειλικρίνεια	искренний(-ая)
1	site (informatique), n. m.	website	sitio web	δικτυακός τόπος	сайт
4	soda, n. m.	soda	refresco	αεριούχο ποτό	содовая вода
5	solidaire, adj.	solidary	solidario(a)	αλληλέγγυος (-α, -ο)	солидарный(-ая)
12	solitaire, adj.	solitary	solitario(a)	μοναχικός (-ή, -ό)	одинокий(-ая)
12	sommet, n. m.	top	cumbre	κορυφή	вершина
9	souffrir, v. intr. et tr.	to suffer	sufrir	υποφέρω	страдать, терпеть
2	soulagement, n. m.	relief	alivio	ανακούφιση	облегчение
7	soulever, v. tr.	to stir	levantar	σηκώνω	Приподнимать, поднимать
7	souple, adj.	flexible	flexible	άνετος (-η, -ο)	гибкий(-ая)
7	souplesse, n. f.	flexibility	flexibilidad	άνεση	гибкость
10	source, n. f.	source	fuente	πηγή	источник
3	soustraction, n. f.	subtraction	resta	αφαίρεση	вычитание
3	soustraire, v. tr.	to subtract	restar	αφαιρώ	вычитать
11	stade, n. m.	stadium	estadio	στάδιο	стадион
5	steward, n. m.	steward	asistente de vuelo	ιπτάμενος φροντιστής	стюард

	French	English	Spanish	Greek	Russian
9	styliste, n. m. et f.	stylist	estilista	στυλίστας/στυλίστρια	стилист(-ка)
1	succès, n. m.	succes	éxito	επιτυχία	успех
4	sucré(e), adj.	sweet	dulce	γλυκός (-ιά, -ό)	сладкий(-ая)
6	Suède, n. f.	Sweden	Suecia	Σουηδία	Швеция
6	suédois(e), adj.	Swedish	sueco(a)	σουηδικός (ή, -ό)	шведский(-ая)
1	Suisse, n. f.	Switzerland	Suiza	Ελβετία	Швейцария
1	suisse, n. m. (ou f.) ou adj.	Swiss	suizo(a)	Ελβετός (-ίδα) / ελβετικός (-ή, -ό)	швейцарец(-ка), швейцарский(-ая)
5	suivre, v. tr.	to follow	seguir	ακολουθώ	следовать за
2	superbe, adj.	superb	magnífico(a)	καταπληκτικός (-ή, -ό)	великолепный(-ая)
10	superstition, n. f.	superstition	superstición	δεισιδαιμονία	суеверие
5	supporter, v. tr.	to support	soportar	αντέχω	поддерживать, сносить
3	supposer, v. tr.	to suppose	suponer	υποθέτω	допускать
10	surnaturel(le), adj.	supernatural	sobrenatural	υπερφυσικός (-ή, -ό)	сверхъестественный(-ая)
1	surréalisme, n. m.	surrealism	surrealismo	σουρεαλισμός	сюрреализм
1	surréaliste, adj.	surreal	surrealista	σουρεαλιστικός (-ή, -ό)	сюрреалистический(-ая)
2	survivant, n. m.	survivor	superviviente	επιζών	оставшийся в живых
9	survivre, v. tr. ind.	to survive	sobrevivir	επιβιώνω	выжить
10	symbolique, adj.	symbolic	simbólico(a)	συμβολικός (-ή, -ό)	символический(-ая)
2	tablette (de chocolat), n. f.	bar	tableta	πλάκα σοκολάτας	плитка (шоколада)
3	talent, n. m.	talent	talento	ταλέντο	талант
7	tambour, n. m.	drum	tambor	τύμπανο	барабан
7	tambourin, n. m.	tambourine	tamboril	ταμπουρίνο	тамбурин
11	tandis que, conj.	while	mientras que	ενώ	тогда как
1	tant pis, loc.	too bad	peor	τόσο το χειρότερο	тем хуже
9	technique, n. f.	technique	técnica	τεχνική	техника
7	tellement, adv.	really	tan	τόσο (πολύ)	столь
12	à temps, loc. adv.	in time	a tiempo	εγκαίρως	вовремя
11	tempête, n. f.	storm	tormenta	θύελλα	буря
7	tendresse, n. f.	tenderness	ternura	τρυφερότητα	нежность
9	tendu(e), adj.	stretched (out)	tenso(a)	τεντωμένος (-η, -ο)	натянутый(-ая)
2	tente, n. f.	tent	tienda de campaña	σκηνή	палатка
5	terminal (d'aéroport), n. m.	terminal	terminal (de aeropuerto)	αεροσταθμός	терминал (в аэропорту)
2	terrain (de camping), n. m.	camp ground	terreno (de camping)	χώρος κάμπινγκ	участок, место (кемпинга)
11	terrain (de sport), n. m.	field	terreno (deportivo)	γήπεδο	(спортивная) площадка
8	terrasse, n. f.	terrace	terraza	βεράντα	терраса
12	territoire, n. m.	land	territorio	χώρος	территория
6	testament, n. m.	will	testamento	διαθήκη	завещание
1	tester, v. tr.	to test (out)	verificar el buen funcionamiento	υποβάλλω σε τεστ	подвергать тестам
6	Thaïlande, n. f.	Thailand	Tailandia	Ταϊλάνδη	Таиланд
4	thym, n. m.	thyme	tomillo	θυμάρι	тимьян
9	timidité, n. f.	shyness	timidez	ντροπαλότητα	робость
2	toit, n. m.	roof	techo	σκεπή	крыша
10	tombola, n. f.	tombola, raffle	tómbola	τόμπολα	вещевая лотерея
6	torture, n. f.	torture	tortura	βασανιστήριο	пытка
5	tourisme, n. m.	tourism	turismo	τουρισμός	туризм
3	tournoi (de tennis), n. m.	tournament	torneo (de tenis)	τουρνουά (τένις)	турнир
5	tradition, n. f.	tradition	tradición	παράδοση	традиция
7	traditionnel(le), adj.	traditional	tradicional	παραδοσιακός (-ή. –ό)	традиционный(-ая)
11	traîneau à chiens, n. m.	dog sled	trineo de perros	έλκηθρο με σκύλους	собачья упряжка
1	traiter, v. tr.	to treat	tratar	ασχολούμαι (με ένα θέμα)	обходиться (с кем-то), трактовать, лечить
11	tranquille, adj.	calm	tranquilo(a)	ήσυχος (-η, ο)	спокойный(-ая)
10	travail forcé, n. m.	forced labor	trabajos forzados	καταναγκαστικά έργα	каторжные работы
12	traverser, v. tr.	to cross	atravesar	διασχίζω	пересекать
9	trembler, v. intr.	to tremble	temblar	τρέμω	трепетать
2	trempé(e), adj.	soaked	empapado(a)	μουσκεμένος (-η, -ο), μούσκεμα	промокший(-ая)
10	tricoter, v. tr.	to knit	hacer punto	πλέκω	вязать (на спицах)
9	tristesse, n. f.	sadness	tristeza	θλίψη	грусть
3	se tromper, v. pron.	to make a mistake	equivocarse	κάνω λάθος	ошибаться
7	trompette, n. f.	trumpet	trompeta	τρομπέτα	труба (муз.)
5	se trouver, v. pron.	to be located	encontrarse	βρίσκομαι	находиться
5	unique, adj.	unique	único(a)	μοναδικός (-ή, ό)	единственный(-ая)
6	université, n. f.	university	universidad	πανεπιστήμιο	университет
12	usage, n. m.	use	uso	χρήση	употребление, обычай
1	utile, adj.	useful	útil	χρήσιμος (-η, -ο)	полезный(-ая)
1	utiliser, v. tr.	to use	utilizar	χρησιμοποιώ	использовать
9	vaincre, v. tr.	to defeat	vencer	κερδίζω	побеждать
2	vallée, n. f.	valley	valle	κοιλάδα	долина
5	valoriser, v. tr.	valorize	valorizar	αξιοποιώ	придавать цену
4	varié(e), adj.	varied	variado(a)	ποικίλος (-η, -ο)	разнообразный(-ая)
4	veau, n. m.	veal	ternera	μοσχάρι	телёнок
10	victime, n. f.	victim	victima	θύμα	жертва
2	vide, n. m.	empty space	vacío	κενό	пустота, вакуум
1	Viêtnam, n. m.	Vietnam	Vietnam	Βιετνάμ	Вьетнам
1	vietnamien(ne), n. m. (f.) ou adj.	Vietnamese	vietnamita	Βιετναμέζος (-α)/ βιετναμικός (-ή, -ό)	вьетнамец(-ка), вьетнамский(-ая)
2	village, n. m.	village	pueblo	χωριό	деревня
2	villageois(e), n. m. (et f.)	villager	habitante del pueblo	χωρικοί/χωρικές	житель(-ница) деревни
9	violence, n. f.	violence	violencia	βία	буйность, насилие
7	violon, n. m.	violin	violín	βιολί	скрипка
7	violoncelle, n. m.	cello	violonchelo	βιολοντσέλο	виолончель
3	violoniste, n. m. ou f.	violinist	violinista	βιολονίστας/βιολονίστρια	скрипач(-ка)
7	virtuosité, n. f.	virtuosity	virtuosismo	δεξιοτεχνία	виртуозность
5	visa, n. m.	visa	visado	βίζα	виза
12	visible, adj.	visible	visible	ορατός (-ή, -ό)	видимый(-ая), очевидный(-ая)
4	vitamine, n. f.	vitamin	vitamina	βιταμίνη	витамин
2	vivant(e), adj.	alive	vivo(a)	ζωντανός (-ή, -ό)	живой(-ая)
8	vivre, v. intr. et tr.	to live	vivir	ζω	жить, проживать
8	voix, n. f.	voice	voz	φωνή	голос
6	vrai(e), adj.	true	verdadero(a)	αληθινός (-ή, -ό)	настоящий(-ая)
5	vraiment, adv.	really	realmente	στ'αλήθεια	действительно, истинно
6	vue, n. f.	view	vista	θέα	зрение, вид (на что-то)

Tableau des contenus

Unité	Titre	Objectifs de communication	Vocabulaire
Unité 1	*Les fans du français*	Se présenter (nationalité et langue) S'informer sur un objet, une personne Préciser une information Exprimer la possibilité, l'obligation	Noms de pays et de nationalités – Langues – Informatique et Internet – *capitale, habitant, imaginaire, impression, mystère, peintre, poésie, réalité, sincérité, succès, surréalisme... – Verbes : ajouter, correspondre, créer, enregistrer, faire partie, identifier, imaginer, peindre, publier...*
Unité 2	*L'excursion*	Proposer de faire quelque chose Exprimer un désir, un soulagement Apprécier quelque chose Exprimer le fait de ne pas être surpris	Tourisme et camping – Chocolat et sucreries – Verbes : *accueillir, s'asseoir, camper, éclater, emporter, encourager, étonner, faillir, indiquer, s'inspirer de, inventer, obtenir, rendre visite à, respirer... – Adjectifs : complet, étroit, superbe... – Locution : dormir à la belle étoile...*
Unité 3	*Vous avez dit « absentéisme » ?*	Rapporter un propos, une question Exprimer une action accomplie dans le futur, une hypothèse, un bilan Exprimer son approbation, sa déception	Sentiments – Animaux de la forêt – Apprentissage – Verbes : *abriter, additionner, annoncer, compter, contredire, s'ennuyer, étudier, faire attention, héberger, se montrer, raisonner, réviser, sécher les cours, soustraire, supposer, se tromper... – Adjectifs : déçu, excellent, patient...*
Unité 4	*Au self-service*	Exprimer un désaccord Refuser une proposition ou une demande Chercher à obtenir des informations Rapporter des propos	Fruits – Légumes – Viandes – Féculents – Épices – Vitamines – Verbes : *bouillir, consommer, cuire, frapper, garder, goûter, (faire) griller, grossir, jeter, lancer, limiter, remuer, (faire) sauter, servir... – Adjectifs : acide, amer, copieux, équilibré, gras, obèse, piquant, riche, salé, sucré, varié...*
Unité 5	*Tourisme durable*	Exprimer une obligation Exprimer une possibilité Exprimer un projet Exprimer une opinion	Tourisme et aéroport – Nature et écologie – Verbes : *apprécier, comparer, compenser, évaluer, hésiter, oser, participer à, planter, polluer, produire, se reposer, séparer, suivre, supporter, se trouver, valoriser... – Adjectifs : durable, impatient, indispensable, responsable, solidaire...*
Unité 6	*Célébrités*	Exprimer une volonté, un souhait Exprimer un consentement, un doute Exprimer une émotion, un sentiment Exprimer sa déception	Médias – Célébrités – Études – Droits de l'homme – Noms de pays – Verbes : *accepter, appartenir, décider, douter, éduquer, émigrer, enseigner, épouser, s'étonner, présider, profiter, quitter, récompenser, rejoindre, remettre, ressentir... – Adjectifs : digne, nommé, passionné...*
Unité 7	*Musique !*	Exprimer l'antériorité Exprimer la concession Exprimer la condition Exprimer le but et la manière	Instruments de musique – Qualités – Sentiments – Verbes : *accompagner, composer, décrire, se donner rendez-vous, émerveiller, exprimer, faire ses preuves, illustrer, improviser, s'installer, placer, soulever... – Adjectifs : assis, confortable, debout, doué, effroyable...*
Unité 8	*Portraits de famille*	Exprimer l'incertitude Mettre en valeur une personne, une chose	Famille (relations familiales) – Architecture – Ustensiles – Activités langagières – Verbes : *baigner, bavarder, compliquer, décorer, éclairer, s'élever, entourer, fasciner, se rappeler, recouvrir, se regrouper, vivre... – Adjectifs : ancien, certain, compliqué, éloigné, frais, premier, proche...*
Unité 9	*L'exposition*	Exprimer une hypothèse Exprimer une restriction Exprimer une comparaison Exprimer l'indifférence	Sentiments – Art et création – Verbes : *combattre, se désoler, enfermer, éprouver, étaler, exister, exposer, faire battre (le cœur), pleurer, réchauffer, sculpter, souffrir, trembler, vaincre... – Adjectifs : baissé, droit, levé, penché, raide, tendu...*
Unité 10	*On s'entraide*	Exprimer un regret Exprimer un reproche Exprimer une hypothèse Faire une proposition	Loisirs – Croyances – Persécutions – Verbes : *apporter, s'avancer, bricoler, construire, convaincre, se coucher, coudre, se couvrir, débarquer, découper, s'embrasser, s'entraider, s'étendre, guider, importer, occuper, pousser, tricoter... – Adjectifs : bénévole, coloré, naïf, symbolique...*
Unité 11	*Sports et saisons*	Exprimer la cause Exprimer la simultanéité Exprimer la comparaison Exprimer l'opposition	Sports – Verbes : *accomplir, s'approcher de, assister à, avoir lieu, circuler, cueillir, emmêler, s'équiper, examiner, glisser, nécessiter, pêcher, planifier, pratiquer, recueillir, se reculer, repasser, respecter, siffler... – Pronoms indéfinis : aucun, chacun, personne, plusieurs...*
Unité 12	*La fête du français*	Indiquer la durée d'une action Indiquer le moment d'une action Encourager, rassurer Exprimer la probabilité	Jeux et langue – Régions du monde et organisations – Verbes : *animer, attraper, se composer de, décerner, définir, déposer, se développer, s'échapper, éclater de rire, être au courant, fixer, former, imposer, traverser... – Adjectifs : brave, curieux, drôle, indiscret, solitaire, visible...*

Crédits photographiques

5 ht g : Ph. © Archives LAROUSSE – **5 m ht** : Ph.© AKG © René Magritte « La trahison des images » 1928 / Adagp, Paris 2010 – **5 d** : Ph. © Artothek / LA COLLECTION © René Magritte « Le Château de Pyrennées » 1959 / Adagp, Paris 2010 – **5 bas g** : Ph. © Musées Royaux des Beaux Arts de Belgique © René Magritte « L'empire des lumières » 1954 / Adagp, Paris 2010 – **6** : Ph. © Gilbert Giribaldi / Gamma EYEDEA – **9 ht** : Ph. © Bachmann / SIPA PRESS – **9 ht m** : Ph. © Fridmar Damm / CORBIS – **9 bas m** : Ph. © P. Narayan / AGE FOTOSTOCK – **9 bas** : Ph.Jean-Jacques Cordier / Fotolia © Archives SEJER – **13 ht** : Ph. © Maximilian Stock Ltd / SUCRE SALE – **13 bas** : Ph. © Tom Till / GETTY IMAGES France – **13 d** : Ph. © Archives LAROUSSE – **14** : Ph. © Gaston Paris / ROGER-VIOLLET – **17 ht** : Ph. © Mauritius / PHOTONONSTOP – **17 ht m** : Ph. © Niclay – **17 bas m** : Ph. © Muriot / SUCRE SALE – **17 bas** : Ph. © Frederic Janisset / CIT IMAGES – **21 g** : Ph. © Archives LAROUSSE – **21 m g** : Ph. © Alaska Stock / SUNSET – **21 d** : Ph. © Louis-Marie Preau / HEMIS – **21 bas** : Ph. © Andy Rousse /The Image Bank / GETTY IMAGES France – **22 et 25** : Ph. © AKG – **25 ht** : GPh. © Robert Harding World Imagery / Occidor Ltd / GETTY IMAGES France – **25 ht m** : Ph. © Mauritius / PHOTONONSTOP – **25 bas m** : Ph. Florin Cirstoc / Shutterstock © ARCHIVES SEJER – **25 bas** : Ph. © Christian GUY / HEMIS – **27** : Ph. © Erich Lessing / AKG – **31 ht** : Ph. © Jean Cazals /Sockfood Creative / GETTY IMAGES France – **31 bas** : Ph. © John E. Kelly / FoodPix / GETTY IMAGES France – **31 d** : Ph. © Archives LAROUSSE – **32** : Ph. © Aude Genet / AFP – **35 ht** : Ph. Istock photo © ARCHIVES SEJER – **35 ht m** : Ph. © Christine Kokot / dpa / CORBIS – **35 bas m** : Ph. © Henri Tabarant / PxP Gallery – **35 bas** : Ph. © Owen Franken / CORBIS – **36 m m** : Ph. © Marta Nascimento / REA – **36 d** : Ph. © François Henry / REA – **39 ht g** : Ph. © Archives LAROUSSE – **39 m** : Ph. © Claude Thouvenin / BIOSPHOTO – **39 d** : Ph. © Pierre Cheuva / PHOTONONSTOP – **40** : Ph. © Ulf Andersen / Gamma / EYEDEA – **43 ht** : Ph.Tom Theodore / Fotolia © ARCHIVES SEJER – **43 ht m** : Ph. Ivan Lenoble / Fotolia © ARCHIVES SEJER – **43 bas m** : Ph. © Muriel Hazan / BIOSPHOTO – **43 bas** : Ph.Jerome Berdoulat © ARCHIVES SEJER – **45 ht g** : Ph. © Gérard Schachmes / Paris Match – **45 ht m** : © 20 minutes – **45 ht d** : Ph. © Bruno Clement / Télérama – **45 bas g** : Geo Ado N° 78- Août 2009 © Editions Milan 2010 – **45 bas m** : Ph. © Elle / Scoop – **45 bas d** : Ph. © Abaca / Le nouvel Observateur – **46 ht g** : Ph. © ROGER-VIOLLET – **46 m ht** : Ph. © John Gress / REUTERS – **46 ht d** : Ph. © Stephane Reix / For Picture / CORBIS – **46 bas g** : BIS / Ph. © Archives Nathan – **46 bas m** : Ph. © Dennis van Line / LFI / COSMOS – **46 bas d** : Ph. © Eric Fougere / CORBIS – **47 g** : Ph. © From the Jewish Chronicle Archive / Heritage Images / Imagestate / Top / EYEDEA – **47 ht d** : Ph. © Collection Basile / OPALE - DR – **47 bas d** : Ph. © Monier / Gamma / EYEDEA – **48** : Ph. © Jacques Sassier / Gallimard / OPALE – **51 ht** : Ph. © Edward Boone / For Picture / CORBIS – **51 ht m** : Ph. © Steph / VISUAL – **51 bas m** : Ph. © Stephane Cardinale / People Avenue / CORBIS – **51 bas** : Ph. © Lionel Hahn / ABACA PRESS – **53** : Ph. © Albert Harlingue / ROGER-VIOLLET – **57 ht g** : Ph. © Archives LAROUSSE – **57 ht d** : Ph. © Hasan Mroue / AFP – **57 m g** : Ph. Coll Archives SEJER – **57 bas d** : Ph. © Easypedia.org / GNU. Freedocumentation licence – **58** : Ph. © Monier / RUE DES ARCHIVES – **61 ht d** : Alinari / ROGER-VIOLLET – **61 m** : Ph. © Gerard Degeorges / AKG – **61 bas** : Ph. © Jean-Michel Coureau / Explorer / EYEDEA – **65 ht** : Ph. © Archives LAROUSSE – **65 ht d** : Ph. © PHOTO12.COM / ALAMY – **65 bas** : Ph. © www.bridgemanart.com – **66** : Ph. © Basso Cannarsa / Grazia Neri / COSMOS – **69** : Ph. © Remi Bali / Rapho / EYEDEA – **69 ht m** : Ph. © Bruno Hadji / Gamma / EYEDEA – **69 bas m** : Ph. © José Enrique Molina / AGE FOTOSTOCK – **69 bas** : Ph. © Paule Seux / HEMIS – **71 ht g** : Ph. © René-Gabriel Ojeda / RMN (Musée d'Orsay) – **71 m ht** : Ph. © Hervé Hughes / HEMIS – **71 ht d** : Ph. © Mediacolors / ANDIA PRESSE – **71 bas g** : Ph. © Hervé Lewandowski / RMN (Musée d'Orsay) – **71 m bg** : Ph. © Patrick Frilet / HEMIS – **71 m m** : Ph. © BRIDGEMAN Art Library – **71 m bg** : Ph. © Jean-Didier Risler / FRANCEDIAS – **71 bas d** : Ph. © René-Gabriel Ojéda / RMN (Musée d'Orsay) – **73 ht g** : Ph. © Archives LAROUSSE – **73 ht d** : Ph. © Ludovic Maisant / HEMIS – **73 bas g** : Ph. © Collection ARTEDIA – **73 bas d** : Ph. © Béatrice Soulé / ROGER-VIOLLET – **74** : Ph. © Peter Jorda / Time Life Pictures / GETTY IMAGES France – **77 ht** : Ph. © Sandra Négem Bocandé / KAMIKAZZ-Photo – **77 mhtg et mhtd et bas m** : Ph. © Franck Boyer / KAMIKAZZ-Photo – **77 bas** : Ph. © Aurélie Bruyère / KAMIKAZZ-Photo – **79** : Ph. © RDA / RUE DES ARCHIVES – **83 ht g** : Ph. © Archives LAROUSSE – **83 ht m** : Ph. © « Agaou Potocoli » de Roudy Azor (Port-au-Prince, Haiti) 2006 / INDIGO ARTS GALLERY – **86 m d** : Ph.Coll Bouticethic – **86 bas g** : Ph. Coll Archives Bordas / DR – **87 bas** : Ph. © Thony Belizaire / AFP – **87** : Ph. Coll MEMOIRES D' ENCRIER – **87 ht** : Ph. © L. Murray / PHOTO12.COM / ALAMY – **87 bas m** : Ph. © PHOTO12.COM / ALAMY – **87 m ht** : Ph. © Franck Guiziou / Hemis – **89 ht g** : Ph. Alexander Rachau / FOTOLIA © Archives SEJER – **89 m hg** : Ph. © Aldi Liverani / ANDIA PRESSE – **89 mmht** : Ph. © Philippe Renault / HEMIS – **89 m hd** : Ph. © Alexei Krutov / Itar-Tass / CORBIS – **89 ht d** : Ph. © Wildlife / ANDIA PRESSE – **89 bas g** : Ph. © Ron Sachs / Newscom / SIPA PRESS – **89 m bg** : Ph. © Philippe Renault / HEMIS – **89 mmb** : Ph.Andrey Stratilatov / Fotolia © Archives SEJER – **89 m bd** : Ph. Rémy Masseglia / Fotolia © Archives SEJER – **89 bas d** : Ph. © Philippe Royer / FRANCEDIAS.COM – **91 m ht** : Ph. © Jean-Daniel Sudres / HEMIS – **91 ht d** : Ph.Yahia Loukkal / Fotolia © Archives SEJER – **91 m g** : Ph. © Hervé Hughes / HEMIS – **91 m d** : Ph. © Archives LAROUSSE – **91 bas** : Ph. Makik / Foyolia © Archives SEJER – **92** : Ph. © Philippe MATSAS / OPALE – **95 bas** : Ph. © Christian Heeb / HEMIS – **95 ht** : Ph. © Kord.com / AGE FOTOSTOCK – **95 ht m** : Ph. © Tibor Bognar / PHOTONONSTOP – **95 bas m** : Ph. © MEGAPRESS.ca – **98** : Ph. © Ministère de La Communauté Française de Belgique - Service de la Langue Française – **99 ht** : Ph. © I NSTITUT DE FRANCE- Service Communication – **99 bas** : Ph. © Catherine Bibollet / AKG – **100** : Ph. © Bertrand Guay / AFP – **103 ht** : Ph. © Organisation Internationale de la Francophonie – **103 m** : Ph. © OFFICE QUEBECOIS DE LA LANGUE FRANCAISE – **103 bas** : Ph. © CIJF, Paris – **105** : Ph. © Photo Josse / LEEMAGE

Édition : Virginie Poitrasson
Couverture : Didier Thirion/Graphir design
Maquette : Pierre Cavacuiti
Mise en page : Laure Gros
Illustrations : Thierry Beaudenon, Xavier Husson, Isabelle Rifaux
Recherche iconographique : Danièle Portaz
Cartographie (couverture intérieure) : Xavier Husson
Imprimé par Loire Offset Titoulet à Saint-Etienne - N° Editeur : 10161778 - Février 2010